連清吉　著

日本江戶時代的考證學家及其學問

臺灣學生書局印行

町田序

德川三百年的學術大略可分爲三期。第一期是德川家康創立幕府（一六〇三）到第八代吉宗治世的一百二、三十年間，由於藤原惺窩、林羅山等人的倡導，朱子學受到幕府的重視而定爲教學的正統。至於標榜反朱子學的伊藤仁齋、荻生徂徠也於不久之後登場，別出蹊徑而樹立古義學派與古文辭學派，廣泛地吸收中國古典的精華，進而展開獨創性的研究。就日本儒學的發展而言，此一時期是學術研究的全盛期。

吉宗治世的後半到第十代家治的五十多年是第二期。爲徂徠古文辭學派的鼎盛時期，詩文創作極其旺盛。在學術研究方面，雖然沒有像第一期一樣有傑出的學者出現，學問卻能普及於民間。

十一代的家齊到末代將軍慶喜的八十年間是第三期。一七九〇年，老中松平定信力諫「寬政異學的禁令」而獨尊朱子學。由於朱子學定於一尊，林家官學的傳統得以恢復其學術領導地位。雖然如此，當時的學術界不但有古學派、折衷學派、考證學派等中國學的流行，本土意識的勃興而帶動的國學研究與西洋文明的衝擊而引發的洋學探索也一時盛行。第三期的學術研究呈現出諸學共存百家爭呼的蓬勃現象，可以說是日本儒學發展的第二個頂點。此學術現象持續至幕末維新的十九世紀七十年代。

德川期的漢學發展和中國的學問相比，到底有何不同，而其特質又何在。就社會構造而言，中國是通過科舉取士而形成的文人主導的社會。日本則是以武士爲主的社會。由於社會的主流階層有異，對於儒家經典的研究取向也自然不同。誠如本書第六章〈清代與日本江戶時代經學考證學的異同〉所論述的，因爲國情的不同，日本儒者對於中國古典進行注釋的有不少，其中數量最多也最有特色的是《左傳》和《四書》的研究。在中國與江戶同時期的清朝學者，則傾注全力於《公羊傳》與《說文》的研究。

於德川第三期學術界大放異彩的是考證學派的研究。有日本考證學始祖之稱，而且學術成果足與清朝考據學相提並論的是大田錦城。本書第二章即對大田錦城以實證主義爲主的學問進行探究。繼承大田錦城實事求是的學問性格而探索獨自考證方法的是龜井昭陽。誠如本書第三章〈龜井昭陽：建立日本考證學的方法〉所論述的，龜井昭陽嘗試超越個別性的字句校勘，而從全體性的文章體例與篇章結構的分析，歸納出考證的法則，從事中國古典的考據工作。由於有考證方法的發現，考證學才能有新的開展。具體性的字句考證是清朝考據的所長，抽象性的原則歸納則是日本考證學的特色。

接續前人的考證方法，徹底地從事中國經傳諸子的個別研究，從而累積學術成果，是集江戶儒學之大成的安井息軒的學問特色。本書第四章〈安井息軒：集日本考證學的大成〉與第五章〈安井小太郎：整理日本考證學的成果〉是通過「伊藤仁齋—大田錦城—龜井昭陽—安井息軒」之考證學系譜的考索，辨析日本漢學的特質，乃是連君爲探究近代日本漢學研究而踏出的第一步。

初識連清吉君是由於台灣師範大學教授黃錦鋐先生的介紹，在台北車站前的中國飯店見面的。當時連君已是專科學校的專任講師，卻欲辭去教職，毅然至日本留學進修。從言談當中，可以感受到其對學問的執著與研究的熱忱。

從識面到現在已將近十年的歲月。由修完九州大學中國哲學研究所博士課程，擔任九州大學中國哲學研究所助教，到現在任職鹿兒島純心女子大學。且於去年取得九州大學文學博士學位。從十年的留學歷程看來，連君似乎是一帆風順萬事順遂。但是，事實上即使有家人的理解、支持，與在台師友的鼓舞，在異國的求學並非易事。連君能克服一切艱辛，才有今日的成就。不僅如此，其明朗樂觀、積極進取與擇善固執的個性，無須臾而或失。這又是日本友人所共睹的事實。

本書是連清吉君一系列日本漢學研究成果的一部分。我從其研究中獲得極大的啓發。今後深切地企望連君能有更精進的研究，將日本的學術傳播到世界的漢學界。

九州大學名譽教授　町田三郎

一九九七年十月十七日序於福岡

日本江戶時代的考證學家及其學問

目　次

前言

十七世紀初，德川掌政，命藤原惺窩傳朱子學；又立藤原氏的弟子林羅山爲「大學頭」，自此德川幕府二百六十多年間，朱子學始終爲日本漢學的顯學。十八世紀初，講了一百多年的朱子學，其研究或有勢窮的趨向，故享保元年（一七一六）以後，乃有反朱子學，即以爲朱子學並非孔學眞傳的各學派產生。如古學派的學者即捨宋學而就漢唐注疏之學，主張從字義訓詁來理解孔學眞義。進而衍生出本土學問意識，即以「國字」（日本）訓解中國古典的著述，使初學者皆能廣泛閱讀，促進漢學的研究。再者，由於重視考證，逐漸產生疑古意識，即以爲儒家經典存在著眞僞的問題，而提出獨自的見解。如「古義學」的伊藤仁齋以爲《論語》二十卷，依文章的形式體例，宜分爲前論與後論各十卷。而「古文辭學」的荻生徂徠則主張《論語》不僅是行之於身、用之於世的根據所在；是與《周禮》《荀子》同爲探究先秦典章制度的重要依據。再者，荻生徂徠又主張除了沿襲已久的「俚諺抄」、「俚諺解」❶外，也應當用「國字」解詁中國的經傳諸子，以普及教學，進而在本土生根，形成日本化的漢學。

❶ 所謂「俚諺抄」、「俚諺解」，是以俚俗諺語解釋漢籍的一種解釋方法。流行於江戶初期。

寬政二年（一七九〇）、幕府頒布「異學之禁」，即獨尊朱子學，以其他學派的學問爲異端，而不准教授。雖然如此，官學昌平黌及各藩藩校固然講授朱子學；但是被視爲異端的陽明學、古文辭學及考證學並未因此而斷絕。是故，此後的學術風尙一變，除了官學之外，私人的研究與傳授，則轉趨於純學術的探究。亦即政教分立的情形與「趣味主義」❷逐漸形成。

江戶末期，考證學鼎盛，即以清代考據學爲學問研究的新方法，專注於精細的訓詁考據之研究。因此，此時的學術界極推崇窮究經術的學者。幕府官學爲了順應潮流，破格任用非朱子學者而長於經傳研究的安井息軒，拔擢爲昌平黌的教授。是知，以精密的研究，審愼詮釋中國古典精義的學問，是寬政異學之禁以後，日本漢學的主流。綜括江戶時代二百六十多年的漢學發展大勢，蓋可分爲三個階段。❸

第一期（一六〇三—一七一六）

朱子學勃興（受容期）

第二期（一七一六—一七八七）

---

❷ 所謂「趣味主義」，是以自己的興趣爲主而從事文藝創作與學術研究的一種主張。興盛於江戶中葉以後。

❸ 江戶漢學的分期，參考牧野謙次郎《日本漢學史》與町田三郎先生之說。

諸學興盛（批判的受容期）

第三期（一七八七—一八六六）

朱子學一尊而漢學鼎盛（諸學燦爛期）

各時期之學術風尚的轉移，固然有其不得不變的必然趨勢；然而其主導因素，除了政令頒行致使其變之外，學者於學術意識與時代感受的覺醒，更是促使學風轉變的主要因素。

鎌倉時代（一一九二—一三三三）末期，由於學問僧將「宋學」傳入日本後，在漢學的研究上，逐漸形成古註與新註的分別。如《論語》的研究，原來是以何晏、皇侃的義疏爲依據，❹但是，鎌倉末年，京都五山❺的禪僧開啓講授《朱子集註》的先聲。江戶初期，德川家康任用朱子學者林羅山以振興文教，朱子學遂成幕府的官學。而林羅山（道春）訓點的《論語集註》遂取代何晏的《集解》和皇侃的《義疏》成爲家家戶戶傳誦的經典。至於研究老、莊的根據也是如此，即由河上公註、郭象註轉爲林希逸《口義》。此爲江戶初期漢學發展的狀況。換言之，即所謂漢唐注疏的「古註」之研究逐漸式微，取而代之的是所謂「新註」的宋學。

十七世紀中葉，在接受朱子學的同時，也產生了對朱子學存疑的主張。其主要人物是「古義學派」的伊藤仁齋和「古文辭學派」荻生徂徠。伊藤仁齋（一六二七—一七〇五）指出：

---

❹ 日本的《論語》書目，載見《日本國見在書目》。

❺ 「五山」是指在京都的五所禪寺，是鎌倉時代傳授學問的中心所在。

宋儒之意以爲學當言義，而命不足道。此不深考而已。蓋有當言義處，有當言命處。何者？出處進退在於己，言義可矣。若夫國之存亡，道之興廢，專繫於天，當言命而不可言義。（《語孟字義》上❻）

即從字義之理會而探究聖人之立說要旨，進而指摘宋儒議論失確之處。故其子伊藤東涯序《孟子古義》❼說：「（程朱氏）解仁以爲心之德，愛之理。性即理也。則將以翼之，適以病之。……先君子既釋《論語》，並及此書，共名古義，欲其斥後世虛遠之旨，而直遡乎古之義也。蓋謂《孟子》者，《論語》之義疏也，欲識《論語》，不可不由此書焉。」則說明欲探究孔子立言的眞義，宜從《孟子》入手；而要釐清《論語》《孟子》的宗旨，則不能遵從宋人門徑；應從漢儒古註的訓解中體會得來。

荻生徂徠（一六六六—一七二八）與仁齋相同，都是先研究朱子學；而後以爲朱子學未必能體得聖人眞義。徂徠著《論語徵》十卷，乃從先秦古書的用字例，逐一探究《論語》字詞的意義，進而給予正確的解釋。例如孔子之「道」，徂徠以爲是「先王之道」，即「安民之道」；而不是「天地自然」的形上之道❽。換言之，徂徠從訓詁學的角度深入探討，以爲孔子所說

---

❻《語孟字義》成於天和二年（一六八二）。附於《論語古義》十卷、《孟子古義》二卷之後。

❼《孟子古義》成於享保五年（一七二〇）。

❽徂徠的「先王之道，即安民之道」主張，見徂徠所著《論語徵》及《辨道》。

的「道」，是維持社會秩序的規範。因此，其強調《論語》是研究先秦典章制度的重要根據之一。同樣的方法，徂徠以爲《論語》的時代並不存在「理」、或「天理」的辭彙，故謂朱子用理和天理來詮釋《論語》，是未必允當的。

仁齋、徂徠學說盛行的元祿（一六八八—一七〇三）、享保（一七一六—一七三四）年間，日本漢學界呈現出「反朱子學」的風潮。從文化接受的觀點來說，在接受顯學的同時，也出現批判顯學的主張。因此，或許可以用「批判性受容」一詞來說明此一時期的江戶時代的漢學。

天明七年（一七八七），松平定信任老中，欲振興儒學，矯正人心風俗，乃以學問所爲天下教學之中心。寬政五年（一七九三）林述齋繼任大學頭後，即改革學問所的學制，編修《武家名目抄》《寬政重修諸家譜》《新編武藏風土記》《佚存叢書》等與國史有關係的書籍。命令十萬石以上的諸侯出版大部的書籍。自身專心於學問所的改革等事務，至於林家家塾的學問傳授，則委託弟子佐藤一齋。如此，學問所與林家家塾同心協力，以振興斯文爲急務。林述齋的弟子有佐藤一齋、松崎慊堂。慊堂由朱子學而入漢唐注疏學。一齋兼治朱子、陽明學。慊堂的門下有塩谷宕陰、安井息軒。宕陰善於文章，息軒兼採漢唐舊說與清儒考證之學而出入於仁齋、徂徠、朱子學。一齋的弟子有治朱子學的大橋訥庵、安積艮齋，攻陽明學的山田方谷、吉村秋陽、東澤瀉等人。於是，文化（一八〇四—一八一七）、文政（一八一八—一八二九）至嘉永（一八四八—一八五三）安政（一八五四—一八五九）的五、六十年間，朱子學、陽明學、考證學的大家並出，文物燦然，盛極一時。此爲江戶時代第三期漢學發展的情形。

第二期的漢學發展中，既有「批判性」的接受，則未嘗沒有獨自見解的產生。如伊藤仁齋的《論語古義》以爲《論語》宜區分爲上論、下論各十篇。其區分的根據是〈鄉黨〉篇的內容殊異，乃上論的末篇。又對於管仲的評價，上論與下論有顯著的不同，故《論語》宜區分爲上、下兩部分。至於《孟子》則宜分爲上《孟》（前三篇）與下《孟》（後四篇）。而程朱所尊崇的《大學》則「非孔氏之遺書」❾。伊藤仁齋的生存年代，相當於清朝初期，比顧炎武小十四歲、小閻若璩九歲。但是由於大海相隔，交流不便，仁齋未必明瞭清初的研究動向；然而不墨守江戶幕府官學的程朱宋學的傳統，以實證主義的觀點，對於儒家的經典進行嚴謹的文獻考證，藉以正確闡述發明孔門學說的眞義。此一學術態度與乾嘉考據學的研究旨趣頗爲相應。因此貝塚茂樹說伊藤仁齋是「日本儒學的始祖」，日本啓蒙主義運動的先驅。❿

荻生徂徠高舉「反朱子學」的旗幟，提倡「古文辭學」，尊奉李攀龍、王世貞「文必秦漢、詩必盛唐」的主張，進而鼓吹詩文要從道德的約束中解放出來的學風，因此「古文辭學派」盛極一時。這是徂徠主張以明代詩文的自由風氣而反對宋學的拘謹嚴肅。換言之，是「接受」最新的中國學而批判朱子學的。但是，對荻生徂徠的著作中，值得留意的是「國字

---

❾ 分《孟子》爲上《孟》與下《孟》的論述見於《語孟字義》上卷。「《大學》非孔氏之遺書」的論說則見於《語孟字義》的附錄。

❿ 貝塚茂樹〈日本儒學の創始者〉（《伊藤仁齋》、中央公論社、一九八三年、頁七一—頁三二）。

解」的撰述。如《孫子國字解》十三卷、《吳子國字解》五卷、《詩文國字牘》二卷、《明律國字解》三十七卷、《素書國字解》二卷等。所謂「國字解」，是以日文訓解中國的典籍。此「國字解」與江戶初期的「漢籍俚諺抄」，同爲易讀易曉的解釋，使初學者能以之而閱讀漢籍。然而「國字解」之產生，又未嘗沒有本土文化意識的自覺存在。亦即在接受中國學，理解中國學者之學術思想的同時，也可以用自身的語文來詮釋漢籍的意義，敘述獨自的見解。影響所及，明治四十年代至大正初期間，有服部宇之吉編集《漢文大系》，早稻田大學出版《漢籍國字解全書》問世。前者不但搜集了中國學者的註疏，也採用日本漢學者的訓解。後者則網羅「先哲遺著」，再加上「國字解」而刊行。兩部叢書的出版，顯示日本人的自覺意識的抬頭，也象徵著其中國觀的改變。追遡自覺意識產生的根源，或許即遠紹荻生徂徠「國字解」之解釋方法而所反映的「本土意識」。[11]

荻生徂徠雖然接受李攀龍、王世貞的「古文辭學」，主張實際寫作漢詩文以理解古文辭的律則，掌握古文辭的眞義。但是，荻生徂徠的「古文辭學」並非僅止於詩文的創作，更重要的是其進而提出以古文辭探究聖人之道的眞義所在。荻生徂徠以爲中國古典的眞髓在於先

---

[11] 「國字解」於日本漢學史的意義，參重野成齋的〈日本的漢學に就いて〉（《重野博士史學論文集》上卷、名著普及會、一九八九年）、町田三郎先生「《漢籍國字解全書》について」（《東洋の思想と宗教》第九號、頁一－頁一六、一九九二年）之所說。

王聖人之道，即《六經》與《論語》。而《六經》與《論語》所含藏的先王聖人之道的眞義，乃在於「物」而不在於「理」，進而指出《六經》與《論語》的要旨，皆是政治的方法。荻生徂徠所說的「物」乃是事實，其在所著《辨名》一書中指出「物者教之條件」，即物乃是教育標準的事實。先王所設定的「詩」、「書」、「禮」、「樂」皆非空泛的議論而是作爲政教標準的事實。「詩」是民衆與宮廷歌謠，「書」是政治的言語，「禮」是各項儀式，「樂」是雅樂的演奏。換句話說，「詩書禮樂」是構成先王之道的四個要素，即政治法則的「四術」。（見《辨名》）

再者，關於「義」的意義，荻生徂徠引述《左傳・僖公二十七年》「詩書，義之府；禮樂，德之則」與《書經・仲虺之誥》「以義制事、以禮制心」之文，主張既然「義」爲「詩書之府」，義並非空泛理則。又禮以制心，即禮是行爲的準則，則制事的義，乃是對應事物的方法，即禮的運用。換句話說，義是行先王之道的方法，而非孟子與宋儒所說的義與「仁」並稱，爲「德」（「德者個人之德」荻生徂徠解，見《辨名》）之一，即孟子與宋儒主張「道—德—仁、義」。而荻生徂徠則是「道—義（道之用）、德（個人修養而得之道德）」。

以先王之道在「物」，「詩書禮樂」是政治法則的「四術」。又「義」並非與「仁」並稱的德，而是「禮之用」，即實踐先王之道的方法。二者是荻生徂徠異於宋儒的所在。也是其具有批判性接受中國學的所在。

但是，荻生徂徠並不重視文獻考證，如其引述的《書經・仲虺之誥》，伊藤仁齋已經考定爲僞作（見《語孟字義》下），荻生徂徠卻引用以爲重要學說的根據。又荻生徂徠提出「注釋無用論」（《徂徠集·與堀景山書》），以爲後世的注釋乃後出的文辭而非古文辭，未必能明確地說明先王之道，故不可信。此固然可以說是荻生徂徠批判性接受前人的所在，也是就學問性格而言，荻生徂徠不是經學文獻考證學者，而是有自身詮釋系統的經學思想家。

寶曆（一七五一—一七六三）之後，就有所謂折衷學派和古學派的興起。但是當時所謂的折衷學派，只是折衷古注、新注、仁齋、徂徠之說，尚未能樹立一家之言而開拓新局。代表的學者是井上蘭臺、井上金峨。至於金峨的門下山本北山似有別立一派而入清儒考據學的趨勢，但尙不能超越折衷學派的境域。至其弟子大田錦城之時，才有眞正的考據學的盛行。

大田錦城，名元貞、字公幹、號錦城。加賀（今石川縣）大聖寺人。明和二年（一七六五）生、文政八年（一八二五）歿，享年六十一。

《九經談》爲大田錦城的代表作，全書共十卷。有總論、及論述有關《孝經》《大學》《中庸》《論語》《孟子》《尙書》《詩經》《左傳》《周易》九經的諸說，並陳述自己的見解。關於儒家經典，特別是對《五經》作博引旁證，且展開精密議論的研究，是江戶時代的學界所未有的。因此，此書傳誦一時，大田錦城的名聲也爲當時的學術中人所熟知。門人海保漁村敘述《九經談》出刊的情形，說：「此歲，大田錦城師以所撰九經談十卷付之梨棗，學者喧傳，名盛一時」⑫。

《九經談》一書是大田錦城有關考據論述的代表作。其中關於《尙書》，特別是以「梅本增多小辨」爲題的考據（卷七）又更爲精密。所謂「梅本」是指東晉梅賾所獻漢孔安國《古文尚書》五十八篇。所謂「增多」是說「梅本」比在此以前所通行的秦伏生《今文尚書》二十九篇所多出的篇章。大田錦城以爲「梅本」所「增多」的篇章和孔安國的傳都是魏王肅等人所僞作。

就今日而言，雖然有關《古文尚書》與「今文尚書」的問題，由於清代閻若璩等人考據的成果，《古文尚書》增加的部分乃爲後人所僞作的事，已經成爲定說。但是在江戶末期的日本學界並未留意到此一問題。大田錦城之提出「梅本增多小辨」以考證《古文尚書》爲僞作等有關《尚書》的考據，可以說是日本學界最有成就的。換句話說就日本儒學界而言，對《尚書》作精密地的論證，並論斷《古文尚書》之爲僞作的考察，可以說是畫時代的研究。此爲《九經談》之所以獲得極高評價的所在。藤田幽谷在「錦城先生大田才佐墓表」所敘述的「上自先秦古文，下至後世雜書，苟有關經義，莫不旁引曲暢，審其同異，辨其是非。其漢唐宋明，及近時清人，與我國朝諸儒之說，會萃演繹，必歸諸至當而止。」誠精當地闡述大田錦城於學術成就的所在。明治時代的漢學者安井小太郎也指出「就我邦考證家而言，宜以錦城爲嚆矢」⓭。

⓬〈漁村海保府君年譜〉（《儒林叢書》十四卷所收）。

⓭《日本儒學史》（富山房、一九二五年）、頁二四五。

在伊藤仁齋、荻生徂徠的「古學派」學說盛極一時之後，日本漢學的發展稍有停滯不前的現象。突破此困境的是福岡漢學家龜井南冥（一七四三—一八一四）、昭陽（一七七六—一八三六）父子。龜井父子的學問在《論語》的研究。南冥著有《論語語由》二十卷；昭陽繼其父志，作《論語語由述志》二十卷。龜井家的《論語》學，大抵與徂徠學的「反朱子學」相同，即不從宋學義理；而折衷鄭註、何解、皇疏、朱註、仁齋古義、徂徠徵等論述，並加上自見，以探究孔子立說的根源所在，故曰「語由」。昭陽發揮南冥著述的用心，故命題爲「語由述志」。因此龜井父子所論述的「《論語》學」，乃是以考據學爲基礎而做的字義訓詁與義理解釋之學。

龜井昭陽除述其父志，作《論語語由述志》二十卷外；又窮其一生以致力於經書的研究，而著有《周易僭考》《毛詩考》《尚書考》《孝經考》《禮記抄說》《左傳纘考》等書。故楠本碩水（一八三二—一九一六）指出：

> 本邦異學之徒、有學力者、莫若伊藤仁齋父子、物徂徠矣。龜井昭陽繼而起，其於經說遠出於伊物之上。[14]

---

[14]《碩水先生遺書》（葦書房、一九八〇年）、卷十一。

西村天囚（一八六五—一九二四）則稱譽龜井昭陽是江戶時代經學研究的巨擘⓯。町田三郎先生更具體的說明昭陽於經典註疏的成果：

《禮記抄說》十四卷是昭陽主要著作之一。其註疏形式和其他著作相同，首先是解題、其次是摘錄有註疏必要的字句，引述鄭玄、孔穎達、孔廣森等二十多家的訓解，並旁徵《左傳》《國語》《儀禮》《詩經》《管子》等先秦典籍，以爲考證論斷的根據。全書的注解凡四千八百條。即以清人考證學的方法注釋《禮記》。

接著，町田先生又指出：

《尚書考》的注解形式和上述的《禮記抄說》相同。……不過，此書最大的特徵是，除了字句的考校訓詁外；又留意各篇章節段落的分析。即以結構性的分析，精細地探究論旨、文體及首尾照應關係，進而明確地指出錯簡誤謬的所在。就此結構分析的方法而言，昭陽或脫胎於朱子章句《大學》《中庸》的手法；但是，昭陽徹底地分析《尚書》各篇的章節段落，並以圖表示文章主旨的前後關係，確實值得稱揚。⓰

⓯ 西村天囚盛稱龜井昭陽爲經學巨擘之說，見所著《異彩ある學者》（朝日新聞，一九〇七年）

⓰ 町田三郎先生敘述龜井昭陽的經學成就之說，見所撰〈『漢學』二題〉（《地域に於ける國際化の歷史的展開に關する總合研究——九州地域における——》、九州大學科學研究費報告書、頁八一—頁八八、一九八八九年）。

至於龜井昭陽何以有建立考據方法的構想。乃其以中國人於經學研究的成果，即經傳的訓詁考證為基礎，更進一步地從事素材的分析，由章節段落的結構，釐清前後歸屬關係，進而指出衍誤的所在。換句話說，具體地訓解文義與考訂脫衍，是中國本土學問的長處，然則建立抽象的考據方法的規則，此或為龜井昭陽經學研究之所以有成就的原因所在。也是日本漢學者所執著的學問意識之所在。

安井息軒生於寬政十一年（一七九九），死於明治九年（一八七六）。於文政七年（一八二四）、入學昌平黌。文政九年（一八二六）、入學於松崎慊堂的門下，鑽研漢唐注疏之學，底定學問的基礎。文久二年（一八六二）、推舉為幕府儒官，任命昌平黌教授。安井息軒雖嘗入學昌平黌而修習朱子學，其學問性格則是依據漢唐古注疏而從事的訓詁學為主。而最有特色的是唯善是從而無學派門戶的偏見。亦即安井息軒於中國經傳諸子史書的注釋時，無論是中土的漢唐注疏或宋明新注或清朝考證學，抑或本邦林家朱子學或伊藤仁齋、荻生徂徠的古學，凡是合於經典原義的皆擇而取之，以為考證訓詁的根據。換句話說，安井息軒所尊崇的是實證主義的學問。著有《書說摘要》《毛詩輯疏》《論語集說》《孟子定本》《左傳輯釋》《戰國策補正》《管子纂詁》等書。而《論語集說》更是運用考證學方法的大成之作。

安井息軒《論語集說》總結了江戶時代《論語》研究，特別是伊藤仁齋、荻生徂徠、龜井南冥等人精華。不墨守林家朱子學的傳統，即不從性理等抽象性形而上的概念對《論語》作義理的闡述。於字句訓詁上，則並採魏晉古注與兩宋新注，兼收清朝考據與本邦儒者的學說，再歸納經傳子史等先秦古籍的用字例以爲自身見解的根據。換句話說安井息軒的《論語集說》，其所以以朱子的《論語集註》爲底本，這是對德川幕府官學以朱子學爲傳統的尊重。至於魏晉何晏等人注釋的引述，則是師承淵源的承繼。而以乾嘉考證學作爲考證校勘的根據，乃是新的學問方法的運用。因此可以說安井息軒《論語集說》是日本江戶時代《論語》研究的集大成之作。

安井小太郎、安政五年（一八五八）生，日向（宮崎縣）人。名小太郎、字朝康、號朴堂。爲幕末昌平黌教授安井息軒的外孫。根據服部宇之吉的見解，安井小太郎的《日本儒學史》是日本第一部有關江戶儒學史的論著⑰。何以安井小太郎會從事日本儒學史的研究。就當時的學術潮流而言，或許受到明治時代以來國粹主義的影響，學術界也有本土意識的產生。如井上哲次郎有《日本古學派之哲學》《日本朱子學派之哲學》《日本陽明學派之哲學》三大論著。服部宇之吉主編的《漢文大系》，雖收集研究漢學必備的中國經傳子史，但於注疏的部分，不但有中國的注疏，也收錄有日本江戶儒者的注釋。安井小太郎編集的《經學門徑書目》亦然，不但列舉中國經傳注疏簡明目錄，也有江戶儒者的經學研究書目的解題。安井小太郎的《日本儒學史》旨在敘述江戶儒學的流衍，進而闡述江戶時代的儒者如何接受中國的學問，融合本土固有傳統思想而開創新說的學術成就。因此可以說安井小太郎的《日本儒學

⑰ 收載於《斯文》十七編第一號、頁三一—頁三二。

史》是反映本土化意識高揚時的學術著作。再就師承的影響而言，島田篁村有〈與黎蒓齋（庶昌）書〉一文⓲，略述古代日本以至德川時代的學問趨勢，猶如《日本儒學史》的序文。根據安井小太郎的〈篁村遺稿跋〉指出，島田篁村原本有「著歷代學案、以補黃梨洲之未及、精研十餘年、未脫稿。」之意，即有意增補黃宗羲《宋元學案》《明儒學案》的缺漏，進而以兩學案的體例，撰述《日本學案》。但是積十數年的研究而未完成。安井小太郎之撰述《日本儒學史》，或有完成先師遺志的用心。不但有體裁類似學案式的學統表，如蘭臺學的傳承（頁一七四）、古學派之學者（頁一九五、六）、林述齋之學系表（頁二五四）等，說明各學派發展脈絡的敘述。更有「化政期（一八〇四—一八二九）至嘉永（一八四八—一八五三）安政（一八五四—一八五九）的五、六十年間，朱子學、陽明學、考證學的大家並出，文物燦然，盛極一時。」（頁二五三—二六一）即十九世紀初、中期的五六十年間是江戶儒學的第二高峰期之新見解的提出，以修正島田篁村「寬政以後，江戶漢學中衰」⓳之說的缺失。換句話說安井小太郎的《日本儒學史》之所以值得重視，乃在於此書能反映當時本土意識盛行的學術潮流，並且是繼承師說，整理日本儒學成果的第一部江戶儒學史的論著。

⓲　有關島田篁村的事跡，參町田三郎先生〈島田篁村學問之一斑〉（『日本幕末以來之漢學者及其著述』頁一〇五—頁一一二、文史哲出版社、一九九二年）

⓳　島田篁村〈與黎蒓齋（庶昌）書〉（《篁村遺稿》卷中、頁一—頁三、《篁村遺稿》、秀英舍第一工場印、一九一八年刊行）

第一章　伊藤仁齋：開啓日本考證學的先聲

一、生平傳略

伊藤仁齋（一六二七—一七〇五）、江戶時代中葉京都的儒者。名維楨、字源佐。號敬齋、仁齋。十一歲讀《大學》，以朱子學的研究爲志向，雖親友勸其從醫亦不從。二十七、八歲時對朱子學產生懷疑，以爲朱子學未必能體得孔子、孟子的眞義。於三十六歲撰述《論語古義》初稿，四十二歲提出朱子學所尊崇的《大學》一書「非孔氏之遺書」。進而主張直接考證古典文獻的文詞的本義，以探究孔孟思想的眞髓，因而建立世稱的「古義學」一派的學問。著有《周易乾坤古義》一卷、《春秋經傳通解》二卷、《大象解》一卷、《論語古義》十卷、《孟子古義》七卷、《語孟字義》二卷、《大學定本》一卷、《中庸發揮》一卷、《童子問》三卷、《古學先生文集》六卷等書。尤以《論語古義》十卷、《孟子古義》七卷、《語孟字義》二卷、《童子問》三卷爲其代表作。仁齋有子五人，時稱五藏，其中長子東涯與五子蘭嵎頗能傳其學。茲表列其年譜❶，以明其著述生涯的梗概。

寬永四（一六二七）年　一歲

七月二十日生於京都堀川。

寬永十四（一六三七）年　十一歲

讀《大學》。

寬永十八（一六四一）年　十五歲

以聖賢之學爲志向、親友勸其棄儒從醫而不爲所動。

寬永十九（一六四二）年　十六歲

決心修習聖門德行之學。讀朱子的《四書集註》《朱子語類》《四書或問》《近思錄》《性理大全》。

正保二（一六四五）年　十九歲

讀破《李延平答問》。

承應二（一六五三）年　二十七歲

讀朱子的〈敬齋箴〉、深受感動、而自號「敬齋」。

承應三（一六五四）年　二十八歲

---

❶ 參考清水茂的《伊藤仁齋・伊藤東涯》（《日本思想大系》33、岩波書店、一九七一年）頁六三三—頁六四八。

著〈性善論〉〈心學原論〉以爲「發宋儒之所未發」。

對朱子學持疑。

明曆元（一六五五）年　二十九歲

因病而隱居松下町。

以安住精神之故而修習白骨觀法。

萬治元（一六五八）年　三十二歲

著〈仁說〉、以「仁齋」爲號。

寬文元（一六六一）年　三十五歲

著〈書齋私祝〉。

創立「同志會」、糾合有志之士共同研究儒學。

寬文二（一六六二）年　三十六歲

返堀川開發私塾「古義堂」。

著手《論語古義》初稿。

寬文八（一六六八）年　四十二歲

主張《大學》非孔子之所作。

寬文九（一六六九）年　四十三歲

與尾形嘉那結婚。

寬文十（一六七〇）年　四十四歲
長男龜丸生。龜丸、名長胤、字源藏、號東涯。

寬文十一（一六七一）年　四十五歲
熊本細川家招聘任官、以母病爲名而辭退、終身不仕。
完成《孟子古義》初稿。

延寶元（一六七三）年　四十七歲
五月、京都大火、僅攜母、帶《論語古義》草稿逃命而已。
七月、母歿、年六十五歲。仁齋服三年之喪。

延寶二（一六七四）年　四十八歲
九月、父歿、年七十六歲。仁齋守喪三年。
以服喪之故、古義堂停講四年。

延寶四（一六七六）年　五十歲
古義堂的講授再開、以講授《論語》《孟子》《中庸》爲主。

延寶五（一六七七）年　五十一歲
將講課的場所命名爲「水哉閣」、以「古義學」宏揚天下自許。

延寶六（一六七八）年　五十二歲
妻嘉那歿、年三十三歲。

延寶七（一六七九）年　五十三歲

再娶瀨崎總爲妻。

天和三（一六八三）年　五十七歲

三月、完成《論語古義》《孟子古義》《中庸發揮》手稿本。

五月、命弟子抄寫《論語古義》《孟子古義》《中庸發揮》《語孟字義》。

七月、八月、應門人中島恕元之請求、講授《春秋經傳通解》。

貞享二（一六八五）年　五十九歲

撰述《大學定本》的草稿。

元祿四（一六九一）年　六十五歲

完成《童子問》的初稿。

元祿五（一六九二）年　六十六歲

開始編集《仁齋日札》。

元祿七（一六九四）年　六十八歲

五男長堅（蘭嵎）生。

元祿十六（一七〇三）年　七十七歲

六月、開始講授《童子問》。

寶永元（一七〇四）年　七十八歲

九月、完成《童子問》的講授，開始講授《孟子》。
補正門人林景范抄寫的《易經古義》、《大學定本》、《論語古義》、《孟子古義》、
《語孟字義》、《童子問》、《古學先生和歌集》。

寶永二（一七〇五）年　七十九歲
三月十二日死去。

伊藤仁齋不從醫、不仕官，終身以儒學經典的研究，孔門道德的傳授爲職志。早歲雖醉心於林家官學的根源，即程朱宋學的義理探究。而立之年的前後，以爲朱子的性理之學並非孔門思想的本義所在。乃提出回歸孔孟思想眞義的古義學，即以考證《四書》重要字詞的本義，發揮孔門思想的眞髓。至於伊藤仁齋的學問性格，則可由其以《論語》爲宇宙至極的經典，數次改易其《大學定本》《中庸發揮》《論語古義》《孟子古義》等重要著述。知悉其執著於儒家思想與審慎嚴謹的治學態度。換而言之，探尋孔門思想的本義是其以儒家經典爲依歸的學問宗旨之所在。精密地考證儒家經典的字義，並校勘《大學》《論語》《孟子》的眞僞與成書情形，以爲正確地解釋儒家思想眞義的根底，則是日本考證學的先聲。

二、伊藤仁齋的古義學

伊藤仁齋終身尊奉孔子的學說，以《論語》爲「最上至極宇宙第一書」❷，以《孟子》爲「萬世啓孔門之關鑰」❸。進而推崇《論語》《孟子》是宋學傳承的根源。至於以《孟子》解釋《論語》，則是伊藤仁齋異於五山、江戶時代以來日本儒學傳統的所在。換句話說伊藤仁齋不以程朱所代表的宋學來理解聖人的思想，而以得孔子眞傳的《孟子》來演繹《論語》的意義，進而建立自身的詮釋系統，提出「古義學」的主張。探究伊藤仁齋之所以提倡「古義學」的本義，乃針對宋學而發的。伊藤仁齋以爲學問的眞實就在於日常可行處。《論語》的精彩正在於平易近人，故可爲後人言行的準則。亦即伊藤仁齋以爲《論語》的旨趣在於眞實可行的「實」，而非宋儒所說的高遠不可企及的「虛」。又從性、道、教的關係說孔子之道在於「主動」、「擴充」，而非宋學所說的「主靜」、「復歸」。關於《論語》的眞實可行的意義，伊藤仁齋說：

> 夫事苟無害於義，則俗即是道。外俗更無所謂道者。故謂君子之道，造端於夫婦。……眾心之所歸，俗之所成也。故惟見其合於義與否，可矣。何必

---

❷見於《論語古義·總論》。

❸見於《孟子古義·總論》。

外俗而求道哉。若夫外俗而求道者，實異端之流，而非聖人之道也。（《論語古義・子罕・吾從衆》解）

伊藤仁齋以爲孔子所說的「從衆」就是從俗。而《論語》所謂的俗就是衆人之所習以爲常的行爲，而衆心之所歸則是道。亦即俗是平常，是合情合理的中庸之道。遠離俗、即大衆所習以爲常的行爲，就不能稱之爲道。因此，俗即是眞理，即是眞實的所在。至於宋儒所說的形上之性與理，固然高遠，卻非一般俗人所能企及而付諸實行的常行，所以並非孔子所謂的常道。換句話說，伊藤仁齋以爲孔子之道是路，是人倫日常當行之普遍性存在的常道。其內容是仁義禮智。因此，伊藤仁齋說：「道者，人倫日用當行之路。非待教而後有，亦非矯揉而能然。皆自然而然。至於四方八隅，遐陬之陋，蠻貊之蠢，莫不自有君臣父子夫婦昆弟朋友之倫，亦莫不有親義別敘信之道。萬世之上若此，萬世之下亦若此。」（《語孟字義》上）

伊藤仁齋的學說與宋儒性理之說的最大差異，在於對於人性的解釋以及由性與道、與學的關連所展開的人性爲動而非靜，孔子之教在於擴充發展而非靜寂復歸。伊藤仁齋以爲：

性，生也。人其所生而無加損也。……孟子又謂之善者。蓋以人之生質，雖有萬不同，然其善善惡惡，則無古今、無聖愚，一也。……孔子曰性、相近也。習、相遠也。此萬世論性之根本準則也。而孟子宗孔子而願學之，其旨豈有二也乎哉。孟子固言物之不齊，物之情哉。可知其所謂性善也者，即述孔子之言者也。然後儒以孔子之言爲論氣質之性，孟子之言爲論本然之性。……孟子以爲人之氣稟雖有剛柔不同，然趨於善則一也。猶水雖清濁甘苦之殊，然其就下則一也。蓋就相近之中而舉其善而示之也，非離乎氣質而言。故曰人性之善也，猶水之就下也。……延平曰動靜眞僞善惡，皆對而言之。此世之所謂動靜眞僞善惡，非性之所謂動靜眞僞善惡也。惟求靜於未始有動之先，而性之靜可見矣。此言最可疑。豈外世之所謂動靜眞僞善惡，別有動靜眞僞善惡者乎哉。若果謂有之，則必非虛見，則妄見耳。……孔孟之教，皆就人心發動之上論之，而本無未發已發之別。（《語孟字義》上）

伊藤仁齋以爲孔子與孟子所說的性皆是天生而有的氣質之性。既是天生的氣質之性，則有善也有惡，即有聰明與低能之別，也是天生而有的可能存在。再者，是氣質之性，則有變化的可能，就孔孟之教而言，發揮與生俱有的人性的本能，而止於至善，則是性的究極。因此，伊藤仁齋主張孔孟所說的性並非虛靜而是流動的，而其究極也不是未發之先的靜寂，而是運動不居於趨於至善。至於如何可以趨於至善，伊藤仁齋提出擴充之說，即以學來發揮本有的善，補充天生的不足。伊藤仁齋說：

學者效也、覺也。有所效而覺悟也。按古學字即今效字。……蓋人之性有限，而天下之德無窮。欲以有限之性而盡無窮之德，苟不由學問，則雖以天下之聰明、不能。故天下莫貴乎學問之功，又莫大於學問之益。而非但可以盡我性，又可以贊天地之化育，

> 可以與天地並立而參矣。若欲廢學問而專循我性焉，則不翅不能盡人物之性而贊天地之化育，必也雖我性亦不能盡矣。故孟子曰，人之有是四端也，猶其有四體也。凡有四端於我者，知皆擴而充之矣。……所謂充、所謂養、即以學問而言。人性雖善，然不充之，不足以事父母，則性之善，不可恃焉。……然非性之善，則雖學問之功，亦無所施。故性之善可貴焉，學問之功大矣。是孔子所以率性爲言，專以學問教人。而孟子所以屢道性善，而以擴充之功爲其要也。此聖門立教之本旨也。（《語孟字義》下）

伊藤仁齋以爲「學而時習之」，才有盡性以知天地化育的可能。換句話說，伊藤仁齋是根據「下學而上達」而提出「擴充說」是孔門立教的宗旨所在。至於何以性有限而道德、學問爲無窮。伊藤仁齋以爲人性是天生的，其有善與不善、賢與不賢的區別也是自然天成的，這是天生之性的局限性。再就「道者路也」，即道是人間世界所當行的人生道路，人倫日常所當爲的行誼而言，「道」是無窮的。人在生存於人間世界的有限時間中，以有限的性而行義於人生的道路與日常的行誼，則天生的性就顯得更爲不足。又伊藤仁齋以爲「仁義禮智皆是德」❹是「道」的內容。要實踐「仁義禮智」的道德，則非時時學習，是不能到達的。換句話說，伊藤仁齋以爲「下學」是擴充發展人天生本性的可能之善，也是止於至善的根本。

---

❹ 伊藤仁齋說：「仁義禮智四者，皆道德之名，而非性之名。道德者以遍達於天下而言，非一人之所有也。性者以專有於己而言，非天下之所該也。」（《語孟字義》上）

伊藤仁齋的「古學」主張是針對宋儒性理之學而來的。其以爲宋儒的心性之學的論說不但不是孔孟思想的眞義，甚至頗多歪曲孔孟原義的所在。因此，著述《語孟字義》二卷，提出《論語》《孟子》的重要文字二十多個，探究其本義，以復歸孔孟學說的原貌。這就是其所謂的「古學」，也是其批判宋儒之說的方法。如對於「理」的分析，伊藤仁齋說：

> 理字與道字相近。道以往來言，理以條理言。故聖人曰天道、曰人道，而未嘗以理字命之。……或謂聖人何故以道字屬之天與人，而以理字屬之事物乎。曰道字本活字，所以形容其生生之妙也。若理字本死字，從玉里聲。謂玉石之文理可以形容事物之條理，而不足以形容天地生生化化之妙也。蓋聖人以天地爲活物。……老氏以虛無爲，視天地若死物然。故聖人曰天道，老子曰天理。言各有攸當。此吾道之所以與老佛自異，不可混而一之也。按天理二字屢見於莊子，而於吾聖人之書無之。〈樂記〉雖有天理人欲之言，然本出於《老子》，而非聖人之言。陸氏象山辨之明矣。（《語孟字義》上）

所謂「理字、從玉里聲」者，是伊藤仁齋以爲「理」字的本義是鑛物的文理，只能引申爲「事物的條理」，不能用以解釋天地化育的生生之道。再者，「天理」是道家所樂道的思想，乃是以虛無爲依歸，與儒家聖賢所論生生不息之道是迥然不同的。因此伊藤仁齋以爲宋儒所強調的性理之學固然深遠，卻非孔門的本旨。又《孟子．公孫丑》篇四端說的「端」字，朱子的解釋爲：

惻隱羞惡辭讓是非，情也。仁義禮智、性也。心統性情者也。端緒也。因其情之發，而性之本然，可得而見。猶有物在中，而緒見於外也。（《孟子集注》卷二）

以仁義禮智爲性，以惻隱羞惡辭讓是非四端爲情，則仁義禮智四者爲天生所固有而內在於人之心中，惻隱羞惡辭讓是非四端之情則是遇事觸機而發於外。是故四端是內在之仁義禮智的外顯。換句話說，朱子以爲仁義禮智是本，是體；而四端是末，是發用。但是伊藤仁齋說：

四端之端。古注疏曰端本也。謂仁義禮智之端本起於此也。按字書又訓始訓緒，總皆一意。而考亭特用端緒之義，謂猶物在于中而緒見於外也。然訓字之例，雖有數義，俱歸于一意。緒字亦當與本始字同其義。……若考亭之所謂，則與本始之義相反，非字訓之例。孟子之意，以爲人之有四端也。猶其身之有四體，人人具足。不假外求，苟知擴充之，則猶火燃泉達，竟成仁義禮智之德，故以四端之心爲仁義禮智之端本。此孟子之本旨，而漢儒之所相傳授也。又曰中庸曰君子之道，造端乎夫婦。左氏傳曰履端於始。……古人皆依本始之義用之。於是益知古註之不可不從。（《語孟字義》上）

伊藤仁齋乃依據「字書」❺，並引證秦漢古籍的記載，以探究《論語》《孟子》重要詞彙的原始本義。伊藤仁齋以爲「四端」之「端」的本義爲「本」，進而說明擴充「四端之心」而行所當行，則能遂行「仁義禮智」之德。故伊藤仁齋主張「四端之心爲仁義禮智之端本」。這是伊藤仁齋「古義學」的重點所在，也是伊藤仁齋的詮釋儒家經典根本方法之所在。

朱子以爲「仁義禮智」是本體，而四端是發用。伊藤仁齋則以爲心只是天生而有的氣質之心，有善也有不善。發揮人心本來所有的善，實踐儒家「仁義禮智」的道德，才是孔孟聖學的本義。這是伊藤仁齋異於朱子的注釋的所在。若以圖來表示二人的主張，則如下。

朱子的理解是：

仁（本體）→惻隱之心（發用）
義（本體）→羞惡之心（發用）
禮（本體）→辭讓之心（發用）
智（本體）→是非之心（發用）

伊藤仁齋的詮釋則是：

惻隱之心（本體）→仁（發用）
羞惡之心（本體）→義（發用）
辭讓之心（本體）→禮（發用）

---

❺ 伊藤仁齋所說的「字書」即明梅膺祚的《字彙》。

是非之心（本體）→智（發用）

探究《論語》與《孟子》之重要詞彙的本義，以之闡述孔孟聖賢思想的本旨，是伊藤仁齋「古義學」的特色。而文獻考證，即對於中國經傳的辨僞，則是伊藤仁齋父子學問的精彩所在。因爲，「古義」的探究，不如後出的荻生徂徠。荻生徂徠以「古文辭」、特別是以「物」爲主的詮釋系統，即以「古文辭學」的學說來理解中國古典、特別是儒家經典的思想。而伊藤仁齋的「古義學」即未必如此明確。但是，伊藤仁齋一門於儒家經典的考證工夫，則開啓了江戶時代研究經學而重視原典之辨僞與篇章考證的先聲。

三、伊藤仁齋的考證學

伊藤仁齋對於儒家經典進行了嚴密的文獻考證。如有關《尚書》《論語》《孟子》的成書問題、《大學》非孔氏遺書說與《中庸》的章節爲《樂經》的錯簡說。關於《尚書》的成書情形，伊藤仁齋說：

> 六經莫古於《書》，而散亡僞撰，又莫甚於《書》。……《尚書》有今文古文之別。《今文》二十九篇，出於秦博士伏勝之口授，寫以漢世文字，故名《今文尚書》。《古文》五十八篇，武帝時，魯恭王壞孔子宅，得竹簡書，皆科斗文字，故號《古文

尚書》。……（《古文尚書》）歷四百餘年，東晉以來稍行於世，至隋開皇中始全，故《今文》、《古文》並行。然朱子、吳臨川、梅頤之徒，皆疑《古文》之非眞。其言鑿鑿有據。凡古人作一篇文字，必有起結。若〈堯典〉其終只曰「釐降二女於潙汭嬪于虞。帝曰欽哉。」此豈足結一篇之終乎。且《孟子》引《舜典》而稱〈堯典〉、則古二篇合而爲一篇明矣。……唐虞三代之間、其議論皆在於修政知人之間，而未嘗有心性之論。《古文尚書》多說心說性、最非唐虞三代之口氣。（《語孟字義》下）

《古文尚書》出於漢武帝之時，而大行於隋開皇中。宋代已有後人僞作的懷疑。伊藤仁齋進一步地指出《古文尚書》的篇章多言心性，非唐虞三代之舊，且篇章的分合，如〈堯典〉與〈舜典〉等，更有問題。故斷言《古文尚書》的成書年代不能早於先秦。

關於《論語》一書的考證，伊藤仁齋指出：

《論語》二十篇相傳分上下，猶後世所謂正續集之類乎。蓋編《論語》者，先錄前十篇，自相傳習，而又次後十篇，以補所遺者。故今合爲二十篇云。何以言之。蓋觀〈鄉黨〉一篇、要當在第二十篇，而今嵌在中間，則知前十篇既自爲成書。且詳其書、若曾點言志、子路問正名、季氏伐顓臾諸章，一段甚長。及六言六蔽、君子有九思三戒，益者三友，損者三友等語，皆前十篇所無者。其議論體製亦自不與前相似。故知後十篇乃補前所遺者也。（《論語古義．總論》）

以〈鄉黨〉篇的內容異於《論語》的其他諸篇，宜置於全書的末尾，就今本《論語》排列〈鄉黨〉篇於第十篇，則可推測《論語》乃經過兩次的編集，以〈鄉黨〉篇爲分界，包含〈鄉黨〉篇在內的前十篇爲第一次的編集，後十篇則猶如補遺的形式，是補充前十篇之不足而編集完成的。再就文章的體例而言，前十篇大抵爲語錄問答式的文體，而後十篇則有如「曾點言志」「子路問正名」「季氏伐顓臾」等長編議論的文章。這又是《論語》一書可分爲前後各十篇的根據所在。至於《孟子》的成書問題，伊藤仁齋說：

《孟子》之書或以爲孟子自著，或以爲門人之所撰。今詳其書，體製各殊，皆歸又別，似不出於一手。蓋〈梁惠王〉〈滕文公〉二篇是一體，〈離婁〉〈盡心〉二篇是一體，〈公孫丑〉〈萬章〉〈告子〉三篇各是一體。竊疑〈公孫丑〉〈萬章〉二篇，是公孫丑、萬章之所記，而其他諸篇或雜以孟子之筆歟，姑記此以來哲。（《語孟字義》上）

關於《孟子》成書的問題，或以爲是孟子自己所作，或以爲雜有門人的記錄。但是伊藤仁齋以爲《孟子》一書宜分爲〈梁惠王〉〈滕文公〉二篇，〈離婁〉〈盡心〉二篇，〈公孫丑〉〈萬章〉〈告子〉三篇等三個部分。至於三個部分又可分爲兩類。伊藤仁齋說：

此書前三篇備記孟子事業出處。至於〈離婁〉始有議論。故今定以前三篇爲上《孟》，後四篇爲下《孟》。蓋古人之學以經世爲務，而修身以爲本，明道以爲之先，皆所以歸夫經世也。故《孟子》之書者，當於前三篇觀其歸趣，而於後四篇知其所本也。

（同上）

〈梁惠王〉〈滕文公〉〈離婁〉三篇記述孟子的出處行誼，〈盡心〉〈公孫丑〉〈萬章〉〈告子〉等四篇則頗多議論。因此一如《論語》的成書情形，《孟子》也可分爲上、下。而且上《孟》在明經世之用，下《孟》則爲修身明道之本，上下的旨趣各有不同。

關於《大學》一書非孔門經典的辨證，伊藤仁齋說：

《大學》一書本在戴記之中，不詳撰人姓名，蓋齊魯諸儒熟《詩》《書》二經，而未知孔孟之血脈者所撰也。……至乎其列八條目，及其所說學問之法，則不能無疑。……程子以此（八條目）爲古人爲學之次第。然而愚謂孔孟言爲學之條目者固多，未聞以此八事相列若此其密。語曰：「子以四教，文行忠信。」明夫子教人之條目，在此四者，而無他法也，又曰：「知者不惑、仁者不憂、智者不懼。」明此三者天下之達德，而進學之敍，無出於此者也。（《語孟字義．附大學非孔氏之遺書辨》）

《大學》一書的作者不詳，其所列「格致誠正齊修治平」的八條目，既不是如程子所理解的，以此八目爲古人進學的次第，更不是孔門教育的綱目。伊藤仁齋接著又列舉「孔孟未嘗言明明德」、「誠字當施之於身而不可施之於意」、「生財有大道非孔氏之徒之言」等十證以說

明《大學》非孔門的經典。（同上）

關於《中庸》首章的文字爲《樂經》錯簡一事，伊藤仁齋考證說：

首章自「喜怒哀樂」至「萬物育焉」四十七字、本非《中庸》本文、蓋古《樂經》之脱簡、誤入于《中庸》書中耳。何以言之。其説非止叛《六經》《語》《孟》，推之一書之中，亦自相矛盾。第宋明諸儒多以禪附儒，而不察其合于孔孟之旨與否，所以不知其言之叛孔孟。今發十證而明之，學者審諸。曰以其叛《六經》《語》《孟》者言之，如未發已發之説、六經以來，群聖人之書皆無之。一也。孟子受業於子思門人，當祖述其言，而又不言。二也。如中字、虞廷及三代之書，皆以已發言之，而此處獨以未發言之。三也。典謨所謂中字，皆説發而中節之地，而此反以和名之。四也。若以未發之中爲言，則《六經》《論》《孟》皆有用無體之書。五也。以其一書之中自相矛盾者言之，此書本以中庸爲篇，當專論中庸之義，而首論中和之理。六也。中字後章屢出，皆以已發言之，而不有一以未發言者。七也。且若和字，子思當屢言之，而終篇又無復及之者。八也。此以喜怒哀樂，發中節，爲天下之達道，而後以君臣父子夫婦昆弟朋友之交爲天下之道。九也。此以大本達道併稱，而後單言天下之大本，偏而不備。十也。此十證者皆據《中庸》本文及《六經》《論》《孟》而言之，非予臆説。且喜怒哀樂四字及以中和連言者、獨見於《樂記》，蓋贊禮樂之德云然。故曰

> 古樂經之脫簡。先儒不察、遂以未發之中爲道學之根本準則。到今爲千古學問之深害、不容於不辨。（《中庸發揮·總論》）

列舉十證以說明《中庸》首章的四十七文字並非《中庸》的本文，乃是《樂經》的文字而後人誤入者。其主要論證是《中庸》首章的重要文字，並不是《六經》、《論語》、《孟子》所有，如「未發已發之說」即是。又此中的論說本身就有甚多自相矛盾的地方，如「中」字，唐堯三代之書皆解作「已發」，而《中庸》首章則解爲「未發」，但是其後數章卻又解釋「中」一字爲「已發」。至於爲何說此處的文字，當爲《樂經》的脫簡，伊藤仁齋以爲「喜怒哀樂四字及以中和連言者，獨見於〈樂記〉」的緣故。

綜上所述，以字義的解釋與文章義理脈絡作爲考證辨僞的根據，這是伊藤仁齋的考證工夫。

伊藤仁齋對於《尚書》《論語》《孟子》《大學》《中庸》等儒家經典進行詳細的文獻考證。其長子東涯則對《周禮》進行考證，以《周禮》非周公之所作❻。五子蘭嵎則對《老子》詳加考察，以爲《老子》一書爲僞書，老子本無其人，「老子」之名乃是莊子所創造出的❼。由此可知伊藤仁齋父子的「古義學」的學問乃在於文獻的考證。換句話說，

---

❻ 見於《古今學變》。

❼ 見於《紹衣稿·題老子卷書》。

來伊藤仁齋「古義學」的精彩在於正確地判斷儒家經典的眞僞，進而精密地考察其重要詞彙的本義，以作爲掌握經典原始眞義的根源所在。[8]

四、結語

反對宋儒性理之學，而主張探究《論語》與《孟子》之重要詞彙的本義，以之闡述孔孟聖賢思想的本旨，固然是伊藤仁齋「古義學」的特色。而文獻考證，即對於中國經傳的辨僞，則是伊藤仁齋父子學問的精彩所在。

伊藤仁齋與顧炎武、閻若璩等明末清初的大儒同時而稍晚，學問性格皆以經典史書的考證爲根底。中國學問對日本的影響，就如氣象學的現象一般，於中國沿海地區形成的氣壓，要一、二天之後才會影響到日本列島的天氣。在交通不便，學術交流較爲保守的時代，於中國形成的學問風潮，早則百年才能傳到日本[9]。因此伊藤仁齋提倡以實證主義作爲學問基底

[8] 有關伊藤仁齋的敘述，頗參考吉川幸次郎的〈仁齋東涯學案〉（《仁齋・徂徠・宣長》，頁一—頁六三、岩波書店、一九七五年）

[9] 以氣象學的觀點解釋中國學術對日本影響的情形，是採取內藤湖南的說法。內藤之說見於所著的〈履軒學問の影響〉（《先哲の學問》、頁四三九、筑摩書房、一九九七年）。中國學問要百年才流傳到日本的說法，則是根據安井小太郎之說。安井小太郎是根據程朱宋學到了江戶時代才大行於日本的情

的主張，可以說是與顧炎武、閻若璩等人不期而發的。所以貝塚茂樹說：如果說顧炎武、閻若璩等大儒是中國近代學術啓蒙思想運動的先驅，則伊藤仁齋是日本近代學術啓蒙思想運動的先驅❿。換句話說伊藤仁齋的「古義學」乃以回歸孔孟眞義爲主旨，其研究方法則以探究《論語》《孟子》的重要詞彙的意義作爲考證儒學經典的根據。此一學問研究的方法，確實是開啓了日本考證學的先聲。

況，而說日本的儒學研究晚於中國一、二百年。安井之說見於所著〈（島田）篁村遺文跋〉（《篁村遺稿》、卷下、頁四一、雙桂樓藏板、大正七年）

❿ 貝塚茂樹之說，見於所著〈日本儒教の創始者〉（《日本の名著》33《伊藤仁齋》、頁七—頁三三、中央公論社、一九八三年）

第二章　大田錦城：確立日本考證學的基礎

一、大田錦城的生涯

大田錦城、名元貞、字公幹、號錦城。加賀（今石川縣）大聖寺人，明和二年（一七六五）生，文政八年（一八二五）歿，享年六十一。幼時有神童之稱。父名玄學，以醫爲業，詳於本章。錦城先隨兄伯恆學醫，然不屑爲方技之術，欲以儒學立身。天明四年（一七八四），遊學江戶。時年二十。

根據年譜❶所載，大田錦城的生平大抵如下：

明和二年（一七六五）　一歲

生於加賀大聖寺。

八年（一七七一）　七歲

❶ 加地伸行編《皆川淇園・大田錦城》（《日本の思想家》、明德出版社、一九八六年）的附錄。

隨兄讀《大學》《中庸》，從父學詩文。

天明四年（一七八四）　二十歲

遊學江戶、入學山本北山的奚疑塾。

五年（一七八五）　二十一歲

於駒込開設私塾。

六年（一七八六）　二十二歲

寄寓於紀桂山的醫學館。

自號錦城。

秋、自北山門出、於醫學館講經書。

天明八年（一七八八）　二十四歲

於塾堂揭示「三義」。

寬政二年（一七九〇）　二十六歲

制定〈塾約十五則〉。

三年（一七九一）　二十七歲

撰述《中庸考》《論語大疏》。

七年（一七九五）　三十一歲

撰述《疑問錄》。

享和二年（一八〇二） 三十八歲

《錦城百律》刊行。

文化元年（一八〇四） 四十歲

《九經談》刊行。

七年（一八一〇） 四十六歲

講學於吉田藩邸。

八年（一八一一） 四十七歲

仕於吉田侯、俸祿二十五人扶持。

十年（一八一三） 四十九歲

《梧窗漫筆》刊行。

文政元年（一八一九） 五十五歲

於吉田藩城的時習館講學。

十二月、至京都。

文政三年（一八二〇） 五十六歲

訪賴山陽。

七月、返江戶。

四年（一八二一） 五十七歲

撰述《仁說》。

五年（一八二三） 五十八歲

仕於加賀藩，俸祿二百石。

六年（一八二四） 五十九歲

《學庸解》刊行。

七年（一八二五） 六十歲

寫《梧窓漫筆後編》序。

八年（一八二六） 六十一歲

四月二十三日歿，葬於谷中一乘寺。

天明四年（一七八四），二十歲的大田錦城遊學江戶，入山本北山的奚疑塾。山本北山是折衷派學者井上金峨的門下，其後，學有專精而成一家之言。其學以《孝經》的研究爲中心，故將書齋命名爲「孝經樓」。山本北山出身於富裕之家，故輕錢財，以「倫俠」自任。但是，大田錦城以爲：

> 余居數日，竊疑其人狂誕自信，決非君子之人。（〈記悔雜文〉、《春草堂集》卷三）

即頗不堪山本北山之言行舉止。雖然如此，一旦寄身其門，自不能立即揮身而去，乃專心於學問之研究。同門中有山中天水、小川泰山。山中天水長錦城五歲，小川泰山小錦城五歲。據小川泰山《經子考證》的錦城序所載，三人晝論經書，夜則研讀群書。山中天水披閱李白、杜甫、白樂天、袁中郎等集部之書，小川泰山治《管子》《韓非子》《莊子》《列子》等諸子之學，錦城則攻漢唐史書及《資治通鑑》。

天明五年（一七八五），錦城之兄北岸的《瓶花庵集》撰成，錦城爲之撰序。也請山本北山賜序。不料山本北山卻竄改錦城的原文。錦城原本就不屑山本北山的人品，再加上有此不愉快的事情，錦城乃決意退出山本北山之門。山中天水也一同離去。錦城的〈書瓶花庵集序後〉❷追記此事，說：

> 戊辰（天明八年）三月晦夜，貞（錦城）與淺草浜中諮詢閱家中舊書，得〈瓶花集序〉稿。是貞昔從遊山本喜六（北山）時之所作。喜六更互其起頭一章、改竄其中間數字。彼皆以朱子細書其行間。數年在書篋中，字殆漫滅，挑燈照之，乃纔得讀矣。……乃謂諮詢曰，余昔與足下從彼受役，一時遇然之失，至今噬臍不及。序中所謂命世宏博、卓絕蔚麗、撥亂反治數語，自今觀之，近似諛言。然在當時，爲彼昏迷，以謂彼之才識實然。彼才雖敏俊，概失輕躁；學雖該治，概失駁雜；識雖卓異，概失偏僻；文雖蔚茂，概失放縱。加之說經紕謬，誣罔聖道也甚。

❷《春草堂集》（尊經閣叢刊、東京前田家育德財團影印、一九三六年、下同）卷五。

其激烈批判山本北山學行的態度，雖經過數年，依然不改。

天明五年（一七八五），大田錦城築居於駒込吉祥寺，稱爲春草堂。翌年，即寄寓於神田佐久間町的多紀桂山的醫學館。雖然君住在駒込的時間只有一年，對駒込春草堂的詠懷卻極深。如〈乙巳文稿〉中，有「駒込雜詠」。又天明六年的〈丙午文稿〉（《春草堂集》卷二）也有〈懷駒込舊居〉三首。或記載所住近郊的情景，或記述與寺僧飲茶玄談之樂，或描寫與花爭艷的鄰家女，或暢敘與門下論學之樂。

知遇於多紀桂山，對大田錦城的學術研究而言有甚大的影響。

多紀桂山，名元簡，字廉夫。多紀家世代爲幕府的醫官。特別是元德（藍溪）、元簡（桂山）父子和元簡的兒子元胤、元堅三代更精於醫學而知聞於世。躋壽館爲元德的父親元孝所建，寬政三年（一七九一）隸屬幕府，改稱爲醫學館。元德以爲傳統古醫學過於偏執，提倡折衷古今諸派醫學的折衷醫學。元簡生於寶曆五年（一七五五），長大田錦城十歲。幼時即隨父學醫，又從井上金峨研究中國古典經傳之學。寬政二年受命爲侍醫，同十一年繼承父業。賡續父親的主張，注釋《傷寒論輯義》《金匱要略輯義》等書，而《醫賸》爲其代表作。又校訂出版《醫略抄》《本草和名》等書。文化十七年（一八〇一）歿。元簡與錦城相交甚深，至其晚年，依舊不變。錦城也引爲平生知己。錦城的〈獨醉醫談序〉❸指出。

❸《春草堂集》卷十六。

劉桂山（元簡）一代偉人也。博聞強記、驚才絕識、古今醫流、無有其比者。予與之交三十年，常預聞緒論。元簡死後、長男元胤、繼掌醫學館。元胤也精通醫學，著《醫籍考》百卷，解題中國歷代醫書，並加以整理分類。其弟元堅任醫學館教授，撰述《傷寒論述義》《金匱要略述義》等書，又編修刊行《醫心方》《聖濟總錄》等書，頗能祖述其父元簡的遺志。

錦城至江戶的天明四年（一七八四）是躋壽館全盛期的時候。根據多紀元堅的《時還讀我書》，從這一年開始，正式承認非諸侯、武士子弟也能接受百日的基礎教育。躋壽館除了山田圖南、目黑道琢等人所教授的專門醫學教育外，也加上儒家經典的講授。首任教授是井上金峨，其次是吉田篁墩、龜田鵬齋，其後大田錦城也應聘授課。

多岐元簡的父親元德在明和二年（一七六五），敦請井上金峨擔任躋壽館首任教授，同時兼任長男元簡的儒學之師。因此，井上金峨的門人吉田篁墩、山本北山、龜田鵬齋等人也與元簡、躋壽館有親密的關係。元簡蒐集井上金峨的詩文，於天明四年（一七八四）編集刊行《金峨先生焦餘稿》七卷。大田錦城入門山本北山的奚疑塾，就是這一年。多岐元簡與大田錦城之所以結識，即因爲元簡也出入山本北山奚疑塾的緣故。錦城稱「桂山（元簡）素懷奇負氣，不妄屈人。」（多紀桂山墓表）桂山）元簡也嘉許錦城的學識。故於天明六年、聘請大田錦城爲躋壽館的教授，講授中國古典經傳之學。並擔任其子元胤、元堅的儒師。

關於多紀家的學問，在元德一代的時候，只能說是折衷古今學說，並未能進一步地從事考證的工夫。到了元簡的時代，則有詳細的考證。換而言之，元簡的醫學是兼有考證的醫學。察考元簡的《傷寒論輯義》即可明瞭其學問的所在。根據此書序文的記載，元簡反對只根據原文，而不引述後世諸家注釋之說的古醫學派的學問。乃提出「逐條歷考、旁及他書，……開發其隱奧，臨證以辨疑，期得處方精當」的主張。因此，此書引述宋元以下數十家的解釋，以爲論證的根據。至於此書的體裁，乃廣搜宋元以下數十家的解釋，隨處點校眉批，標注案語考證，再加上自說而成，因此書名爲《輯義》。特別值得一提的是，此書不餘遺力的校勘《傷寒論》文章的脫衍，更可以證明元簡於考證上所下的工夫。如〈凡例〉所說，《傷寒論》有宋校定本和金注釋本二種，又有《金匱玉函經》別本。因此，輯義《傷寒論》時，乃以宋本爲底本，並參考金注釋本、《金匱玉函經》別本，再引用歷來從數家的說法，以校勘通行本而成《傷寒論輯義》。又卷首〈傷寒卒病論集〉的注釋，引用《說文解字》《史記》等經子史書，以爲注釋的地方，隨處可見。因此，就《傷寒論輯義》而言，多岐元簡的學問即是博搜實證之考證學。

多紀家的藏書極爲豐富。多紀元堅的《時還讀我書》記載著：「其藏書、自古今醫書至經史子集，藏蓄之而借覽生徒。」大田錦城也說「吾友劉君、字廉夫（元簡），敏洽該博，天下無比。……生平常抱奇書之癖，異本怪冊以爲甘酥。……酒後、爲余開書篋。」（《春草堂集》）大田錦城得識元簡，因此得閱多紀家珍藏典籍。不但近時出版的清儒著述；宋元珍本也借閱流覽。錦城於二十二歲作〈宋版晉書歌贈劉桂山〉❹的長篇詩歌，不但特別歌詠多岐家珍藏的宋版《晉書》，也驚歎多岐家汗牛充棟的藏書。錦城之所以能博覽群書，特別是與其學問有極大關連的清人論著，如朱彝尊的《經義考》、毛奇齡的《西河合集》等書的研讀，乃得力於知交元簡與多岐家藏書。換句話說，大田錦城之所以有厚實的考證學的根底，乃拜元簡與多紀家之賜。亦即多紀家，特別是元簡的存在，是大田錦城學術生涯的重要關鍵。

文化四年（一八〇七），皆川淇園結束其七十四歲的生涯。大田錦城雖然與皆川淇園始終未曾見面，但是錦城自年少時，即敬仰淇園的學識，因此曾幾次寫信給皆川淇園，表示其仰慕之情。如天明五年（一七八五）〈與皆川淇園書〉❺一信中，即表達雖身在窮鄉僻壤，卻渴望受教於執京師學界牛耳之皆川淇園的心意。即使大田錦城所在的大聖寺離京畿極近，「上自士君子，下逮隸氓，內自都城市井，外至閭閻草莽，家誦詩書，人耽翰墨，未曾有不志學之人也」，即熱心於學問研究，而文化水準也頗高的地方。但是「最志厚者，必西遊上國，而從學其諸先生。以故，諸先生之學，能成一家，能發一識者，其流風餘教，亦未曾不漸被敝邦也。僕亦髫年志學，竊仰諸賢之風，雖未有知其行義之詳，議論之正，然既知平安有淇園先生者。此僕之於先生，聆其聲聞，聽其名譽，然後知者也。」即凡是鄉里之人而有志於

---

❹〈丙午文稿〉（《春草堂集》卷三）

❺《春草堂集》卷三。

學者，皆西遊京師，師事京師的大儒。大田錦城自幼即知聞皆川淇園的名聲，極欲從遊其門下。即長，聽從京都歸來的友人論及對學界大儒的評論，更確信其對淇園的景仰。又在草鹿蓮溪家閱讀皆川淇園所著序記論說數篇，以爲皆川淇園「文辭雅傑而無浮華靡麗之病，議論精穩而無激昂過矯之病」，盛贊淇園「不特文章之士，鬱乎大儒，千歲英特，一世豪雄」。此爲大田錦城於二十二歲時，對皆川淇園的仰慕。

在寬政元年（一七八九）所作的〈報濱中周人書〉❻中，大田錦城敘述著：知聞濱中遊學京都，受業於淇園，再度牽起昔時的憧憬。然後贊漢淇園的文章說：「渾浩圓活，洗練縝緻，毫不露圭角，藹然有有道之風，是足以見其所造之深，所養之厚矣。」又，同一年的〈報小野文恭書〉（同上），即致與濱中周人同受業於皆川淇園「開物學」的小野文恭書信中也指出，皆川淇園之學「精密微妙，實當世第一人」。因此，依然熱切地希望西遊京都，從學於皆川淇園的門下。但是，重病始癒，由於健康的因素，大田錦城並未能遂其夙願。結果失之交臂，到皆川淇園死前，大田錦城終不能親炙皆川淇園「精密微妙」的學問。

文政三年（一八二〇）四月，大田錦城拜訪賴山陽。錦城的弟子海保漁村敘述了二人相會的情況。

與賴子成相唱酬。是時賴子成以詩古文雄視一世。遇師往訪，相得最歡。子成爲設伊

---

❻《春草堂集》卷六。

丹酒四品，相與痛飲。師劇談竟日以去。當時所得詩古文，合爲一卷，名曰《白湯集》，三河書肆刻以行世。❼

文政四年（一八二一）正月二十六日，大田錦城眞除爲五十人扶持，成爲吉田藩不可或缺的重臣。同年三月十六日，大田錦城至藩邸講授《論語》，由於理順辭明，頗受好評。特別世藩主信順與藩主的世子皆出席，錦城更受到重視。

文政五年（一八二二）七月十四日，大田錦城改仕加賀藩。關於其間的實情，藤田幽谷所撰的〈錦城先生大田才佐墓表〉❽有詳細的敘述。

加賀金龍公（前田齊廣）惜先生北藩之產，而爲境外賓師。屢遣使于吉田邸請先生。吉田侯不可。乃倍其食祿，禮遇愈渥。然加賀侯之請益切，不能固拒，以命先生。先生亦以其父母之邦，起而應其聘。加賀侯授祿三百石，班上士，不煩以職事。

大田錦城雖無仕二君之意，但是，在固辭不得的情況下，只好告別寵知優渥的吉田藩而歸仕鄉里的加賀藩。

---

❼〈漁村海保府君年譜〉（《日本儒林叢書》十四卷所收、《日本儒林叢書》乃鳳出版社、一九七八年出版、下同）

❽《近世名家碑文集》（東京經濟雜誌社、一八九三年）所收。

翌年，即文政六年正月起，大田錦城不但在加賀藩藩校授課，也擔任藩主前田齊廣的侍講，同時在江戶開設的私塾也於正月二十九日再開。從吉田藩歸返加賀藩後，或許由於心力交疲的緣故，大田錦城一病不起。放文政八年（一八二六）四月二十三日，結束其六十一歲的生涯。關於大田錦城的儒者生涯，其弟子海保漁村〈祭大田錦城先生文〉有如下的記載：

惟文政八年，歲在乙酉四月二十七日，門人海保某謹以清酌庶羞之奠，祭於錦城大田先生之靈。嗚呼哀哉，先生學究古今，識洞天人，其於四子六經之書。孔子孟軻之旨，闡幽發微，無復餘蘊。夫豈獨經義道學然乎，凡古書之盤錯肯綮，世儒之聚訟紛紜，難讀難句者，得先生一言，刃迎而解者，不一而足也。夫黨同伐異者，學者之通弊，而古今之同情也，先生說經，於漢宋之學，無所偏黨，可者從之，不可者改焉。平生之言曰，吾於漢儒推鄭玄，而宋儒推朱子矣然而鄭玄朱子之所誤，則亦排詆糾駁，不遺餘力。世之學者黨枯竹，護朽骨，於聖人之道，無所知解。故聽先生之言，遽然驚駭，至於罵爲異學，若在虛氣平心之人，則先生之學實有尸祝奉崇之不暇者焉，是先生理經之精，講道之明，而直道之在人，不可得而磨滅也。先生洽聞博見，不獨於經義有功，國家之治亂興壞之理，以至人事之失得，利害之故，明如觀火。故所著之書，上明經旨，中及人事治道，下正傳注之訛，其言明白正大，實學者之模範也。若文推歐蘇，詩宗晚唐，皆窮其奧妙矣，他及後世細瑣零碎之事，亦莫不一一究其理焉。嗚呼，如先生者，天下其有幾人歟。……先生著書等身，皆天壤間不可少者也。其既刊布者若干卷，其未脫稿藏于家者，亦數十種，行應上梓。嗚呼先生奄忽長逝，無復歸期，而其著書留天地際者，足以啓發來學，興起後人，則比於彼草亡木卒之徒，一逝而泯滅湮盡，不見稱於世者，相距幾何也。……⑨

二、大田錦城的著述

根據上述年譜的記載，大田錦城的主要著作有：寬政三年（一七九一），即二十七歲時，撰述《中庸考》和《論語大疏》。寬政七年，即三十一歲時，完成《疑問錄》。文化元年（一八〇四），即四十歲時，刊行《九經談》。文化十年，即五十一歲時，《梧窗漫筆》付梓。文政四年（一八二一），即五十七歲時，撰述《仁說》。文政六年，即五十九歲時，刊行《學庸解》。翌年、即死前一年，撰寫《梧窗漫筆後編》的序。又根據《梧窗漫筆》卷末附錄門人荒井堯的〈錦城大田先生著述日記〉，錦城的著作尚有文集《錦城文錄》、詩集《白湯集》和《鳳鳴集》、詩文集《春草堂集》等。其他還有不少有關經書寫本的遺稿。

就《論語大疏》的體例而言，首先條列《論語》的章節，然後引述漢唐古注、宋明新注、伊藤仁齋的《論語古義》和荻生徂徠的《論語徵》等注解。由於盡力網羅中國本土與本邦先

⑨《漁村先生遺稿》（手稿本、一九〇五年印行、國會圖書館藏）所收。

賢有關《論語》的主要注釋，《論語》的諸說一目瞭然，於《論語》的研究，提供極爲便利的途徑。而大田錦城以博引旁證爲基礎的學術主張也可以知悉。不過，《論語大疏》只止於集釋的工夫，因此，只能說是折衷《論語》古注、新注，並權衡前賢所見，而缺乏自家見解的考證特色。❿

《疑問錄》則指摘對宋學存疑的所在，徵引經傳子史，並參考伊藤仁齋《語孟字義》、荻生徂徠《辨名》對程朱批判的論議，作實證性的考證。

《九經談》爲大田錦城的代表作，全書共十卷。有總論、及論述有關《孝經》《大學》《中庸》《論語》《孟子》《尚書》《詩經》《左氏傳》《周易》等九經的諸說，並陳述自己的見解。關於儒家經典、特別是對五經作博引旁證且展開精密議論的研究，是江戸時代的學界所未有的。因此，此書傳誦一時，大田錦城的名聲也爲當時的學術中人所熟知。門人海保漁村敘述《九經談》出刊的情形，說：「此歲，大田錦城師以所撰《九經談》十卷付之梨棗，學者喧傳，名盛一時」⓫。

❿ 參考金谷治的〈日本考證學派の成立〉（源了圓編《江戸後期の比較文化研究》頁三八—頁八八、一九九〇年、ぺりかん社）。金谷治先生界定「折衷學」與「考證學」的意義說：「折衷學重漢唐的訓詁而集諸說以折衷，無考證學之以博搜爲實證之證明。」

⓫ 《漁村海保府君年譜》（《日本儒林叢書》十四卷所收）。

《梧窓漫筆》有は三編，根據各編的序文所載，正編是〈畏天祿・知命錄・畏聖錄〉合刻，於文政六年刊行的。後編是〈三錄併啓迪錄〉，於文政七年付梓的。第三編是天保十一年刊行的。關於《梧窓漫筆》的內容，根據後編所附弟子戸谷惟孝的序所述，「錦城先生，往爲門人小子講袁了凡陰騭之學，則筆其意而爲劄記，名曰《梧窓漫筆》。」是知《梧窓漫筆》是旨在爲門下生講述實踐性的道德。其論述中頗多引證群經諸子與歷史掌故以爲論述的根據。誠足以表現大田錦城以考證爲學問根底的立場。但是《梧窓漫筆》所顯示的大田錦城的思想立場卻有所不同。即相對於以考證學爲主的《九經談》；《梧窓漫筆》則率直地敘述其對實踐性道德。就《梧窓漫筆》的成書年代而言，此書頗能說明大田錦城的晚年主張與其心境。換句話說，大田錦城之爲日本江戶時代考證學派的代表，由其所撰詳於考證的《疑問錄》與《九經談》二書可以知悉。而大田錦城不僅是考證學者，對現實有深刻的反省，進而提出實踐道德之意義的主張，又由其《梧窓漫筆》三編的論著，可以理解其晚年則強調經世的重要。

三、《九經談》

大田錦城的代表作《九經談》刊行於文化三年（一八〇四）。此書甫一發行，即爭相傳閱，使大田錦城一躍爲學界的知名之士。雖然如此，也傳聞著《九經談》頗多剽竊清人論說的指摘。對於此一指摘，錦城如此回應：

> 余初年著《九經談》，引用宋元諸儒著述，《黃氏日抄》《困學記聞》，清朝朱彝尊、顧炎武之說，或有出其姓名，或有不出者。本《九經》之談話，則此體裁可也。近時雖聞余剽掠先儒說之誚，不辨知著書本意之徒，則不足憎，不足咎也。（《梧窓漫筆》三編，卷下）

又有以爲《九經談》的論述不過是抄錄阮元的《學海堂經解》而已。大田錦城唯恐露出破綻，在《學海堂經解》傳入日本時，即全數購買的傳聞。其實《學海堂經解》的刊行是在大田錦城死後。因此，大田錦城剽掠阮元的《學海堂經解》以撰述《九經談》的指摘，即不攻自破。

與大田錦城同時的學者猪飼敬所以爲《九經談》的論述是「識見正大、援引宏博、竊謂海內無二。」而大加贊賞。《九經談》刊行時，欄外眉批處即附載著猪飼敬所的評語。《九經談》的「總論」對中國經學的流衍，作如次說明。

> 經學，古今之間有三大變焉。而小變不預也。有漢學焉、有宋學焉、有清學焉。漢學長王訓詁，宋學長于義理，清學長于考證。自漢至唐，其學小變，然要皆漢學也。自宋至明，其學小變，然要皆宋學也。清人有爲漢學者，有爲宋學者，有混漢宋之學而自爲一家者焉。然要皆清學。而其所長則考證也。此古今經學之三大變也。（《九經談》

卷一）

在大田錦城之前，雖有伊藤東涯的《古今學變》分漢、唐、宋、明四個時期說明中國學術的發展。但是包含清朝考證學而通觀中國經學歷史流衍的論說，大田錦城爲日本學界第一人。因此猪飼敬所推崇大田錦城有「大見識、大議論，非達古今者，不能爲此言。」（同上）

大田錦城又說：

程朱之說，浸淫乎佛老者，是其學之所短也。去其所短而取其所長，則未必不粹然也。吾嘗言，漢學小醇而小疵，宋學大醇而大疵。後有明者，或以此語爲知言矣。（同上）

持平地分析漢宋學的長短。蓋漢學之弊在偏重訓詁名物的解釋，而忽略儒學精髓所在之義理的探究。至於宋學之弊則在於引用佛教經義與黃老玄學以注釋儒家經典，故不免於雜而不純的批判。雖然如此，著重於仁義道德的發揚與世道人心的強調，則是宋學的長處。又關於陸象山、王陽明的心學，大田錦城如是論述著：

王陽明之學出于陸象山，是宋學之支流也。以六經爲故紙，全出于象山六經注我。其實禪家頓悟之機，而達磨不立文字，見性成佛，莊周六經先王之陳跡，書古人之糟粕之意也。唯象山自忌其爲莊禪，而陽明則自言，良智即佛氏本來面目，格物致知即佛氏常惺惺。是不忌其爲佛老。（同上）

繼說明漢宋優劣之後，大田錦城也品評本邦前賢，特別是盛行一時之古義學與古文辭學的得失。其論伊藤仁齋的古義學說：

我邦唱古學者，以伊藤仁齋先生爲祖師矣。先生負英邁之資，抱卓絕之智，生於天下滔滔淪胥濂洛之中，特起麾之，海內靡然。……唯其學半出于吳廷翰《吉齋漫錄》。所見不博，而乏考證。故疑《大學》、斥《中庸》，卑視《詩》《書》《易》，而特尊《論語》。遂言三代聖人與孔夫子。其道不同，是背於《論語》述而不作、《中庸》仲尼祖述堯舜憲章文武。則其學多不可信者矣。(同上)

所謂仁齋之學多半「出自吳廷翰之《吉齋漫錄》」者，乃大田錦城以爲吳廷翰與伊藤仁齋同主張「理氣合一說」的緣故。

至於荻生徂徠的學問，大田錦城如是批評著：

繼仁齋唱古學者，爲徂徠先生。先生負雄鷙之才，養跌宕之氣。夙唱李王古文辭、主盟文壇，間然雄視一世，氣魄牢籠寰區。年五十始講經義，辨宋學，駁仁齋。其學出于楊用脩，虛驕之氣，頗相肖似。經義道學、固非其所長。欲出新奇以炫耀時目。故其說淺薄無味，其言誇誕近誣。比諸仁齋，行義識見，遠不及之。而學問之博，則稍過之。又頗知考證之學。然而其所考證，往往失當。其以安民爲仁，則至夷齊三仁之仁而窮矣。以制作爲聖，則到夫子之聖而窮矣。以明德爲君上之德、則到正考父之明德而窮矣。……仁齋誤駁諸經，然其所見不到異端。而徂徠則奉諸經，然其所見，則異端之魁。雖通觀其書，百中有一二可取者。不可概而廢棄也。（同上）

所謂荻生徂徠曲解經典，是說徂徠雖「博覽多通，於考證考據而奪其精神，毫髮不通天地事理」時，徂徠常「陷入邪見邪道」⑫。亦即大田錦城以爲荻生徂徠失於「事理」的考察，以致考證不精。

一般以爲大田錦城雖然是考證學派的代表學者，未必苟同林家朱子學的主張；但是綜觀大田錦城於漢學與宋學的論述，錦城並非完全反對程朱的宋學。相反地，錦城以爲「三代以後人物，私服者二人。諸葛孔明之德業與朱晦庵之學問。」⑬即其對朱子學有極大的推崇。換言之，大田錦城以實證的觀點，指出程朱學的缺點在於引佛老入儒的駁雜。藉以喚醒宋學的盲從者。大田錦城說：「宋儒大意在繼往聖啓來學，排佛老之空妙，擯管商之功利。……然非守一字一句之遺說。」因此，大田錦城自身雖不信宋學，卻不排斥學宋學的人。但是對當時宋學者奉宋學者之尊敬朱子等同於孔子、孟子，即使明知朱子學之有誤亦隱蔽之，更不論明言朱子學缺失的態度卻不敢苟同。總之，大田錦城是理性的分析宋學的長處與短處，

⑫《梧窓漫筆後編》（《有朋堂文庫》、有朋堂書店、一九一三年、下同）

⑬《九經學》（《日本儒林叢書》六卷所收）卷一。

反對當時學界全面盲信宋學的潮流。

大田錦城對伊藤仁齋與荻生徂徠的批評態度也和對宋學所採取的態度相同。大田錦城以爲卑視朱子而拒讀朱子的著述者和宋學的盲信者是一樣愚昧的。又漢學與宋學皆有優劣，其判定的基準則在於是否合於經典的主旨。合於經典的議論，不論是誰說的，都是正確的。不合於經典的論說，即使是大儒前賢的主張也不可信。大田錦城此一學問態度確實是持平而公正的。其所以能有此見解，與其學問以考證爲基本的治學態度不無關連。

《九經談》一書是大田錦城有關考據論述的代表作。其中關於《尚書》，特別是以〈梅本增多小辨〉爲題的考證（卷七）又更爲精密。所謂「梅本」是指東晉梅賾所獻漢孔安國《古文尚書》五十八篇。所謂「增多」是說「梅本」比在此以前所通行的秦伏生《今文尚書》二十九篇所多出的篇章。大田錦城以爲「梅本」所「增多」的篇章和孔安國的傳都是魏王肅等人所僞作的。

大田錦城以爲「梅本」所增加的二十五篇的內容和孔安國的傳皆始見於東晉，在此以前的漢魏之間，並未出現。漢儒解釋經傳所引述的資料，也止限於《左傳》《國語》《孟子》與《荀子》等書而已。至於後漢的古文《尚書》，有杜林的《漆書古文》，馬融所謂「逸書十六篇無解說」，則「逸書」所指或爲孔安國的眞古文。

大田錦城在此段議論之後，詳細地考證「梅本」增加的篇章與孔安國的傳文皆魏王肅之徒「增多」的篇章和孔安國的傳都是魏王肅等人所僞作。茲舉一二論證加以說明：

(1)王肅注《論語》云：「巧言無質」。」〈冏命〉：「巧言令色便辟側媚。》僞傳云：「巧言無實，巧言無質。」是亦全襲王肅之語。然則今之增多及傳、非肅之徒爲之而誰。（《九經談》卷七）

(2)孔穎達曰，至晉魏王肅注諸，始似竊見孔傳。陸德明、劉知幾亦曰，王肅注《今文尚書》，大與《古文孔傳》相類，或肅私見孔《傳》而秘之乎。殊不知孔《傳》出於肅之徒僞造，故多用肅說。是孔《傳》所以類肅注也。由是益知今之孔《傳》出肅之徒無疑也。（同上）

由以上所舉的例證可以看出大田錦城的考察與清朝學者所提出的結論極爲相近。就日本儒學界而言，對《尚書》作如此精密地的論證，並論斷《古文尚書》之爲僞作的考察，可以說是劃時代的研究。此爲《九經談》之所以獲得當年學界極高評價的所在。藤田幽谷在〈錦城先生大田才佐墓表〉所敘述的「上自先秦古文，下至後世雜書，苟有關經義，莫不旁引曲暢，審其同異，辨其是非。其漢唐宋明，及近時清人，與我國朝諸儒之說，會萃演繹，必歸諸至當而止。」誠精當地闡述大田錦城學術成就的所在。活躍於明治、大正、昭和時代的漢學者安井小太郎也指出「就我邦考證家而言，宜以錦城爲嚆矢」⓮。就今日而言，雖然有關《古文尚書》與《今文尚書》的問題，由於清代閻若璩等人考據的成果，《古文尚書》增加

⓮ 安井小太郎《日本儒學史》（富山房、一九二五年、下同）

的部分乃爲後人所僞作的一事，已經成爲定說。但是在江戶末期的日本學界並未留意到此一問題。大田錦城之提出〈梅本增多小辨〉以考證《古文尙書》爲僞作等有關《尙書》的考據，可以說是日本學界的第一人。

《九經談》所引用的清人著作有顧炎武《日知錄》、胡渭《大學翼眞》、毛奇齡《西河合集》、朱彝尊《經義考》、余蕭客《古經解鈎沈》、閻若璩《尙書古文疏證》、全祖望《經史問答》、徐乾學《澹園集》、紀曉嵐《四庫全書簡明目錄》、江聲《尙書集注音疏》、王鳴盛《尙書後辨》等。其中徵引最爲頻繁的是毛奇齡的《西河合集》和朱彝尊的《經義考》。換而言之，大田錦城的學問，特別是考證學，是在縱橫於清代考證學中而鍛鍊形成的。而與大田錦城《九經談》關連最深的則是朱彝尊《經義考》和毛奇齡《西河合集》。

就當時的俸祿而言，一般武士是無法購買價錢昂貴的商品。大田錦城薪俸不高，又如何取得昂貴舶來的清人著作。這乃是得賜於大田錦城與多紀家交誼甚深的緣故。如前所述，多紀家代代爲幕府醫官，且爲了厚實醫學教育而創立躋壽館。不但廣集與醫學有關的古典漢籍與和刻刊本，並從事醫學典籍的注釋校刻。因此，世稱多紀家爲折衷派或考證派的醫學世家。與大田錦城有深交的是著有《傷寒論輯義》《金匱要略輯成》的多紀元簡。由於財力雄厚，且致力於書籍的搜集，多紀家收藏有珍貴的宋元版本與近時出版的清人論著。大田錦城即從多紀家借覽群書，根植其考證學基礎。大田錦城說：

> 聖人沒二千年，其遺意唯在言語文辭之間。故不精字句，則不能知聖人之妙意也。字句考證之學是清人之所長也。明學空疎，考據荒廢。……得清人之書一卷，勝得明人之書百卷。（《九經談》卷一）

直言其棄空疎的明學而就實證之清代考證學的立場。大田錦城以爲儒者當然應以聖人之道爲目標，但是考證學則是徹底追求經典眞義客觀的、科學的學問方法。有實證地探究經典的原義，才能正確地理解聖人的義理。但是，大田錦城接著又說：

> 近世清人考據之學行焉，人好獺祭，學問之博，過絕前古。然不論義理當否，而唯欲援據之多。……予名之曰書肆學焉。夫四書六經，義理之淵藪，而考據則傳注疏釋之學。義理本也，考據末也。考據之精，欲得義理之微也。考據雖博，義理舛乖，則又何用乎。且也考據之學，其所費精，則在瑣義末理，而聖道大原則措而不講。是亦近世學者之弊也。（同上）

學問的宗旨在聖人之道，故義理的發揮，才是爲學的中心，考證之學無非只是治學的方法和手段而已。因此大田錦城以爲考證學雖然「精密纖細、古今所無」，但是其學過於精細，發大見識而以道自任者，無有一人存在。意即考證固然是爲學之所必需，但是當時的考證學流於一種「書肆之學」，即書目資料的排比並列而已。甚至於成爲商人出身之戲作者遊戲三昧的工具。因此，大田錦城才感慨地指陳「考證學是無用之學」。換而言之，清朝考證學之有其長處是無可否定的，但是考證學只是方法手段，學問的本旨畢竟還是在義理的探究。義理的終極即是聖人之道的所在，而聖人之道實現，才是學問的眞諦。再者，當時的考證流於好事者的趣味性的考證，因此大田錦城主張學問是以精密的考證爲基礎，而發揮經典中的聖人之道。

四、《梧窓漫筆》

《梧窓漫筆》凡三篇，是大田錦城晚年的著作。《九經談》是大田錦城考證學的代表作，而《梧窓漫筆》則爲大田錦城著眼於以道德實踐爲學問究極的論著。加藤善庵的《梧窓漫筆》後編敘之所論，頗能發揮此書的趣旨。

> 方今天下之人，浴升平之化，靡奢輕薄，習以爲常，宴遊逸樂，汩沒其心思。故上焉者，論文評詩，貯書畫玩好之物，以爲傲具焉耳。下焉者，窮烹縝，狎優伶，談骨董，自以爲高人韻士矣。是雖太平之盛事，風習之使然也。然不無滔滔不返之患也。蓋是書也，空詩浮文，書畫玩好之說，與夫靡奢輕薄之習，一切痛斥其弊，而要皆反本歸原之論。足以挽波瀾而東之。則是一部政論也。若夫前史之得失，古今之成敗。譬猶明鏡照物，妍醜美惡，不能逃形。則是一部唐鑑也。且未必論性命，而性命之邃微者

在焉。未必說聖經，而聖經之高妙存焉。是乃政論唐鑑之所曾無，而是書之所獨有也。

又其弟子片倉直的序文：

先生學窮古今，尤於經義。力闢宋儒之妄，而明聖人之旨。有叩以人事之是非世道之得失者，引援經義，參稽古今，以定其當。辭辨風生，殆若燭照數計而龜卜者也。……是書前編務明報應之理，著殺生之戒，以警覺世人。今刻故此編，以補前書之所不足者，丁寧反覆，以推明天道之不僭差，吉凶禍福之以類相應，以爲天下後世之戒。

也可以知悉其《梧窗漫筆》一書的梗概。至於其內容，如

即（喪禮）禮文第一父母之喪、或二十五月、或二十七月、難以辨別。三禮之不足信如此。（《梧窗漫筆後編》卷下）

喪禮記載父母居喪的期間，有二十五個月與二十七個月二說，此《三禮》之不足信的證據之一。再者，宗朝四時祭祠之名亦有不同，致祭屬內或屬外，亦不甚明瞭。故大田錦城以爲《三禮》所載頗多不足採信之處。至於《三禮》何以有前後齟齬者，大田錦城以爲：《三禮》並非孔子之所述，乃「戰國西漢之人各記所傳聞者。」（同上）換言之，大田錦城認爲《三禮》所記載的典章制度，其大部分爲後代之人所撰述的，未必能完全傳述孔子的眞意。

此類詳密的論議，乃大田錦城精於考證的證據所在。其中，頗值得玩味的是，不止是《梧窗漫筆》，包含大田錦城的代表作《九經談》在內，並沒有設立一項，專論有關《禮記》《周禮》《儀禮》三禮的文字。此或許三禮的記述甚多彼此矛盾的地方，故大田錦城棄而論。雖然如此，大田錦城並沒有完全否定三禮的價值。大田錦城說：

《禮記》諸篇多名理之語，足以拳拳服膺。……其論制度者大抵為偽。若棄其偽，唯信奉其名理之語，亦可謂為《論》《孟》之羽翼。（同上）

即大田錦城以為《三禮》所記載之外在的典章制度，以其為後世之人偽作，未必有其價值，然而內在於禮儀的義理，如「以禮制心」（同上）的道理，則有奉行的必要性。

此考校經典眞偽，辨明經典眞義，進而強調足以付諸實現之所在的論述。換言之，將學問分別為文獻考證之基礎研究與道德實踐之現實關懷的道德論。乃大田錦城學問研究的態度。

至於大田錦城之所以提出《三禮》之制度論頗不可信的主張，其大部分乃在批判荻生徂徠的論說。因為荻生徂徠以為《三禮》的制度是聖人所制作的。因此，三禮之值得重視的是外在的制度而非內在的禮義。針對徂徠的說法，除了上述的論說以外，大田錦城還指出：

今之《三禮》紛然而無歸一之論。夫以為孔子之舊、誠為可笑之事也。（同上）

則以為《三禮》所記載的禮儀與制度缺乏統一性，多不可採信。接著又說：因為「禮非制度而云辭讓」，（同上）即制度隨時代而變，故遵守一定的制度而治理天下，是不可能的事。因此，大田錦城強調：「不拘形跡而聖人之心可知。」（《梧窓漫筆後編》卷上）此所謂的「形跡」，即是禮樂制度。換句話說，如果拘限於既定的制度，就無法窺知禮所表現的聖人的道。大田錦城之所以強調《三禮》的內在禮義，旨在指摘徂徠學以外在的規範，即制度來說明禮的重要，而將禮從道德規範中抽離出來，是有缺失的。

何以荻生徂徠有此缺失，大田錦城認爲是與徂徠的性格有關。大田錦城說：

（徂徠）貪博競多、粗脫謬妄、且好立異，故多牽強附會之僻說。（《梧窓漫筆三篇》卷下）

以爲荻生徂徠性喜貪多務博，又好奇僻之說。然缺乏周密的考證，故所謂頗多牽強附會。

又荻生徂徠強調「心者無形，不可得以制之也。故先王之道，以禮制心也。」（《辨道》）即以政治的觀點來理解仁的意義。換句話說荻生徂徠主張先王之道或典章制度才是政治的根據所在，如果「以我心治我心、譬如狂者自治其狂。」（同上）即認爲心（禮的內在意義）不足以作爲政治的根據。關於徂徠的這個論議，大田錦城批判說：「以禮制心」固然是經典之言，但是「知任邪心邪欲而爲，則身家滅，國家亡之理。是以己心治心又何非之有」。（《梧窓漫筆後編》卷下）以禮爲政治之資，自然無可厚非；但是由於重視禮的外在的功能，卻割捨了禮的內在的道德意義，就有所偏執。因爲就儒家經典的意義而言，外在的政治與內在的道德是渾然一體的。故大田錦城以爲徂徠的論述有其缺失。

對於程朱的學問，大田錦城以爲：

宋學並非一一可信。唯得其大綱而已。(同上)

又說：

天地者形氣也。其中有不可思議之神靈，司吉凶禍福。人身亦形氣而已。其中有不可思議之神靈，仁義忠信由是而出。天地萬物，無非氣而已。由氣生出種種理也。……宋儒理氣之說，……晦庵云先有此理者不宜之說也。事物之法則即道之事也。(《梧窗漫筆後編》卷上)

即主張天地萬物皆形氣而非由理而出。進而以爲天地間的事物之法則即聖人所謂的道。換句話說大田錦城以爲道是具存於事物現象的可行之道而非形而上性格的道。因此大田錦城說：「道與德一致。以其所由而謂之道，以其所得而謂之德。」(《九經談》卷三）換句話說，反對宋儒「理」之哲學而以「氣」之存有現象爲第一義是大田錦城的根本思想立場。再者主張「氣」的哲學也是大田錦城以考證學的實證主義爲支柱的表現。

對徂徠學與宋學的批判，固然與折衷學派的興起及寬政異學之禁的儒學思潮甚有關聯。然而大田錦城之客觀公正的考證學的學問性格，才是其反宋學、反徂徠學的根本立場。至於其晚年探究學問的究極，在於義理而不是考證。其以爲考證學只純學問的研究，未有益於世道人心。況且當時的考證流於空泛的趣味追求，更失去考證學旨在探求客觀學問的根本性格。因此主張考證「無用論」。換句話說，大田錦城之所以有此論說，也是以客觀學術性格爲基礎的延伸，以爲學問的究極乃在於以嚴謹考證爲基本而正確地發揮聖人義理之處。大田錦城說：

> 世之愚人，以爲雖有誤字，不可妄改，非校讎不可，此乃古人愚昧之過也。……昔時以亡友吉田篁墩僅好校合之故，遂與亡友村田春海以退之子之事笑之。其時予僅三十歲，今已爲垂白之老人矣（《梧窓漫筆後編》卷下）

批評當時之人僅拘泥於實證性之文字校勘，而不能適當地發揮聖人之義，故年三十時曾與村田春海共同譏笑吉田篁墩不知變通，僅死守文字校勘以從事考證。

海保漁村在《春草堂集》的跋文記載吉田篁墩與大田錦城相知的情況。二人相識於多紀家的躋壽館。吉田篁墩（一七四五—一七九八），名漢官，字學生，江戶人。初爲江戶藩的侍醫，其後學於井上金峨，主張兼採漢唐宋明之長的折衷之學。以從醫之所得收集珍本，進而以古抄古版本而校勘古書的異同。故古籍校勘爲其所長，《論語集解考異》爲其代表的著述。關於吉田篁墩學問，東條琴台的《先哲叢談續編》作如下的敘述。

篁墩好合古抄數本而比對校勘經史之異同。聞人儲藏珍卷奇冊而百方求之、手自寫抄。其所校定諸書皆極精核。今按篁墩之所爲，與近世清人盧見曾、畢沅、孫星衍、段玉裁、戴震、阮元等諸家之所言暗合者多。蓋考證之精核雖氣運之使然，而先鞭之見在諸家之前，隔地而相同，眞可謂卓絕。

意謂吉田篁墩的學問詳於經史校勘，其見識之卓絕足與乾嘉諸儒比肩，開啓日本考證學的先聲。其實日本校勘學之具體著作有先於乾嘉考證者，即山井鼎於享保十六年（一七三一）刊行的《七經孟子考文》。山井鼎以足利學校所藏之宋版及古抄本校勘五經《論語》《孝經》《孟子》等八書。其後傳入中國，乾隆初年開設四庫館，此書即被收採入《全書》中，對中國學界的影響甚多。阮元所編纂的《十三經校勘記》，即頗參採山井鼎的《七經孟子考文》。⓯

再者吉田篁墩《論語集解考異》一書的校勘，並非針對《論語》，而是以考校《論語集解》爲主。根據此書「提要」之所載，篁墩對《論語集解》的校勘，的確頗有見地。其以爲先於何晏《論語集解》以前的兩漢時代的《論語》，是齊、魯、古三論並行的，於古典的引用甚爲混雜，不易區別。例如〈八佾〉篇「哀公問社」的「社」，在何晏以前的別本大抵作「主」，意義全然不同，因此只根據其中之一而校勘異同的話，是有所不足的。再者，吉田

⓯ 安井小太郎《日本儒學史》卷四〈荻生徂徠〉。

篁墩又主張「經本傳授之異」之說，譬如〈學而〉篇「貧而樂道」之「道」字，《史記》《後漢書》的引文與古本皆作「道」。但宋本卻無「道」一字。或不免有宋本爲誤的臆測。然而《集解》所引用的鄭玄注亦無「道」字，故吉田篁墩以爲宋本未必爲誤。換句話說吉田篁墩校勘的態度極爲愼重，並非僅依據所收集而來的珍本作爲校勘的根據而已，乃是追遡經典之所從出，徹底的探求其原本的面貌。

對於吉田篁墩的學問，大田錦城在寬政三年（一七九一）、獲贈《論語集解考異》一書的回信中⑯，對吉田篁墩篤信古學的態度頗爲讚美。但是大田錦城指出漢儒與後代儒者之學皆各有長短。一味地信古而墨守《論語集解》的殘餘之說，則未必是正確的持論。再者，儒家經典的研究之主要目的乃在於聖人眞義的探究，注疏之學的意義，即在聖人著述旨趣的發揮。因此，研究《論語集解》而止於其書的校勘，則不能究明聖人的眞僞亦不得後儒演繹聖賢著書義蘊的用心。由此可知大田錦城對於相知友朋的學識固然極爲尊重；但是對於吉田篁墩研究儒家經典而以校勘爲終始的態度，則不敢苟同。換句話說，大田錦城認爲自身的考證學乃在吉田篁墩純粹校勘學之上。而當時的學界的評價亦復如此。如其友人藤田幽谷的敘述「天下之奇才，一大之名儒，天下之寶。」（大田錦城墓表）即以大田錦城乃一代之碩儒，其於考證學研究的成就乃冠絕一時。再者，在給吉田篁墩的回信中所提到的儒家經典的究極乃

⑯〈報吉篁墩〉（《春草堂集》卷七）

在於聖人眞義的闡明之主張，則是大田錦城晚年心境的反映。

大田錦城於晚年提出考證無用論。大田錦城說：「近世清人之漢學，誠無用之學也。余蕭客《古經解鈎沈》至惠棟《九經古義》《易漢學》之類，一無爲用，《尙書集注》《尙書後案》皆同。……王鳴盛雖爲大家，盡十八年之精力而成《後案》者，愚惑之極也。」（《梧窓漫筆後編》卷下）考證學者並無大見識的言詞，蓋與以往昔考證學名家的意趣迥異。換句話說，以考證學爲「無用」、「愚惑」的主張，可以說是大田錦城晚年治學的心證。爲何大田錦城到了晚年而有此改變。或許與當時學術風尙有極大的關連。

當時的考證學流爲富裕之商人階層的趣味玩賞，進而成爲附庸風雅的手段。再者即使是知識人的研究也僅止於了無生氣的校勘之學，並無益於世道人心。以爲「義理本也，考據末也。考據之精，欲得義理之微也。考據雖博，義理舛乖，則又何用乎。且也考據之學，其所費精，則在瑣義末理，而聖道大原則措而不講。是亦近世學者之弊也。」（《九經談》卷一）於是感嘆地提出當時的考證學乃是「無用」、「愚惑」的學問。雖然如此，大田錦城並非完全否定審愼考證學的價値。大田錦城說：「清人之學可感服。否則唯物知而已，於心身無用。」（《梧窓漫筆後編》卷下）暗示以嚴謹的考證爲基礎，正確地闡明聖人的眞義，進而重建儒學的確切理念。大田錦城以爲儒學的內容有「義理之學、辭藻之學、考證之學」，「義理之學」要「精義明理、博辨宏道」，始能發揮儒家精義所在的聖人之道。若以樹木花葉爲譬喩而言，則義理以爲樹幹，而辭藻則爲花葉、考證爲限。樹幹要壯大，花葉要茂密，非固實根本不可。

再就事物的本末而言，「義理本也，考據末也。考據之精，欲得義理之微也。考據雖博，義理舛乖，則又何用」（《九經談》卷一）但是「聖人沒二千年，其遺意唯在言語文辭之間。故不精字句、則不能知聖人之妙意也」（同上）。即義理朗暢，辭藻明達的基本要素在於考證的嚴謹精確。只是當時的徂徠學派的學者沈溺於文辭的究極，標榜考證的學者與一般社會人士則迷漫於趣味主義的不實或僅止校勘的無用，以至於眞正的考證學的功能卻不能彰顯。換句話說以考證的基礎而申明的義理也不得闡明。因此大田錦城急呼振興儒學，以考證學爲手段，以義理爲目的，而提出學問的極致乃在於聖人之道的發揚的主張。

五、大田錦城的學問

大田錦城撰述《論語大疏》的要旨，頗能窺知大田錦城學問的性格。大田錦城說：

> 予作《大疏》，以古注爲主，古注所不通，則以朱注補之。朱注所不通，則以明清諸家之說補之。諸家所不通，則以一得之愚補之。（《九經談》卷五）

博引旁搜以精確地闡述聖人著述立說的趣旨乃是大田錦城學問的基本立場。大田錦城又自述其一家之言，說：「我之家法在漢傳唐疏、宋元註解、明清著錄，不以愛憎爲取捨，務以公平之心折中諸說，猶有不慊於心之處，精思考覈，期至當而止。[17]」無漢唐注疏、宋明義理、乾嘉考證的門戶之見，務以合理精當之原則，而以「實事求是」的窮究爲究極。換句話說大田錦城的學問乃是實證主義的文獻考證學。故大田錦城推崇清人的學問說：「聖人沒二千年，其遺意唯在言語文辭之間。故不精字句，則不能知聖人之妙意也。字句考證之學是清人之所長也。明學空疎，考據荒廢。……得清人之書一卷、勝得明人之書百卷。」（《九經談》卷一）。所謂「不精字句，則不能知聖人之妙意」固然是說明嚴密性文獻考證的重要。再者，「得清人之書一卷，勝得明人之書百卷」的論斷，則在稱揚清人考據的同時，大田錦城也有暗示性的自許。因爲就當時的學界而言，徂徠學派有逐漸步入衰退的氣運，取而代之的是究極實證主義的考據學。因此，繼朱子學、古學（古義學派、古文辭學派）的登場後，立於學界的頂點，主導學術潮流並具有影響力的是考證學。這或許是大田錦城的用意所在。

到了大田錦城的晚年，由於當時所流行的考證成爲趣味性的把玩，附庸風雅的手段。因此反省昔日未必重視宋明理學的偏差，提出「漢學者、……益道義者少，於經學不無功」[18]的主張，以爲儒家經典可分爲道義（即聖人之道）與經學（即清人之考據）二途。而自身傾注平生精力於古典文獻考證的研究，即使爲學態度謹嚴而且成果豐碩，如以「梅本增多」之說，證明《古文尚書》爲僞作的考證即是。但是晚年的大田錦城卻以爲「（義理）切實人事治道之事

[17] 《梧窓漫筆三編》（《有朋堂文庫》、有朋堂書店、一九一三年）卷下。

[18] 《梧窓漫筆正編》（《有朋堂文庫》、有朋堂書店、一九一三年）卷下。

多，……不可廢棄。」[19]乃明白地指出辨明文獻眞僞，精確解釋的考證和闡述聖人著述之眞義的義理之學是異趣殊途的。換句話說，在當時不具實用性的考證學流行之際，作爲手段而以「實事求是」之實證主義爲究極的考證之學固然有存在必要；但是作爲學問根底以發揮聖人之道的義理之學，更有極盡發揚的必要。亦即考證學並非實學，只是追求科學性的實證性眞實的基礎學問，傳統儒家知識分子的終身職責乃在於道德理想的實踐。這是大田錦城晚年重建道德性儒家思想結構的覺醒。就這一層意義而言，大田錦城確實可以稱是日本江戶期的「一代碩儒」。

---

[19]《梧窓漫筆後編》。

第三章　龜井昭陽：建立日本考證學的方法

——就《家學小言》而言——

一、生平事略

龜井昭陽，江戶時代，筑前（今福岡縣）人，名昱，字元鳳，通稱昱太郎，號昭陽，又號空石。福岡藩儒龜井南冥的長子，幼受家學，寬政三（一七九一）年，十九歲，遊山陽，入德山藩鳴鳳館島田藍泉門下。翌年，異學禁令頒行，南冥的西學甘棠館總受持（即教授）的職位被免除，昭陽受命西學訓導，教授生徒。十年（一七九八年），唐人町（今福岡市內）大火，甘棠館焚燒殆盡，藩議西學不得再建。昭陽乃徙居百道林（今福岡市早良區內），營設私塾，授徒著述以終。安永二（一七七三）年生，天保七（一八三六）年歿，享年六十四。茲參考《萬曆家內年鑑》及荒木見悟先生《龜井南冥・龜井昭陽》略年譜❶，簡述昭陽的生平及相關情事，

---

❶《萬曆家內年鑑》於文化十二（一八一五）年刊。乃龜井家歷代自述年譜。爲龜井昭陽所記。其祖聽

以窺知其講授及著述的生涯。

安永二（一七七三）年

八月十一日生於福岡

天明四（一七八四）年　十二歲

西學甘棠館落成，南冥爲祭酒。

「漢倭奴國王」金印於志賀島（福岡東郊）出土。

天明五（一七八五）年　十二歲

昭陽隨南冥謁見秋月藩主黑田長舒（朝陽公）。後，南冥前往講學，其後，昭陽代之。

寬政三（一七九一）年　十九歲

昭陽出山陽道，至德山藩，遊學於島田藍泉門下。撰《成國治要》三卷、《月窟譾草》一卷。

因出生之寶永元（一七〇四）年以降，至文政九（一八二六）年，昭陽五十四歲止。《年鑑》所記，除龜井家瑣事外，尚有藩政要事，祖先崇拜之儀式等。今藏於慶應大學斯道文庫。又收於《龜井南冥・昭陽全集》第八卷（上）（一九七八年、葦書房）。

荒木見悟先生所記《略年譜》附於其所撰的《龜井南冥・龜井昭陽》頁一八一―頁一八七（《叢書日本の思想家》一九八九年、明德出版社）。

寬政四（一七九二）年　二十歲

寬政異學禁令頒布，南冥遭貶斥，終身不用。時年五十。

昭陽任西學訓導，給十五人扶持。撰《字例述志》二卷、《月窟謾草》二卷。

寬政五（一七九三）年　二十一歲

南冥《論語語由》二十卷成。

寬政七（一七九五）年　二十三歲

南冥《語由補遺》二卷成。

昭陽撰《日記》三卷、《箴言》二卷、《內訓》一卷、《荀子校》二卷、《管子校》一卷。

寬政九（一七九七）年　二十五歲

廣瀨淡窓入學門下，時年十六。

昭陽撰《月窟沙筆》二卷。

寬政十（一七九八）年　二十六歲

唐人町大火，甘棠館及龜井家皆延燒殆盡。藩議西學不得再建，昭陽之教職撤去，且降爲士人。

寬政十一（一七九九）年　二十七歲

昭陽重葺龜井家。

寛政十二（一八〇〇）年　　二十八歲

唐人町再火，昭陽家又罹災。

昭陽撰《古傳概》二冊。

享和元（一八〇一）年　　二十九歲

移居百道林，爲南冥築草香亭，其側營設家塾。

昭陽《詩經古序翼》六卷成。

享和二（一八〇二）年　　三十歲

昭陽《字例述志》七卷成。

享和三（一八〇三）年　　三十一歲

昭陽撰《尙書考》三冊，《蘐文談》一冊。

文化元（一八〇四）年　　三十二歲

昭陽撰《五子文評》三冊，《蘐文説》二卷。

文化二（一八〇五）年　　三十三歲

昭陽《蛾子》一冊、《蘐文説》成。

文化三（一八〇六）年　　三十四歲

昭陽隨秋月藩主赴江戸，以秋月藩主之助，南冥《論語語由》得於江戸付梓刊行。歸途，昭陽取道大阪，訪中井履軒，又至備後（今廣島）訪菅茶山，至安藝（今廣

島）訪賴春水。❷

文化四（一八〇七）年

昭陽作《東遊賦》、《蕿文絮談》。

秋月藩主黑田長舒歿。

文化五（一八〇八）年　三十六歲

昭陽撰《莊子轂音》三卷。

文化六（一八〇九）年　三十七歲

昭陽受命守烽火。

島田藍泉沒，年五十九。

文化九（一八一二）年　四十歲

昭陽撰《讀辨道》一卷。

文化十一（一八一四）年　四十二歲

昭陽《蒙史》六卷草成。

南冥歿，年七十二。

---

❷ 根據西村天囚《異彩ある學者》（《有異彩的學者》）的記載。（《異彩ある學者》連載於明治四十年至四十一年間的《大阪朝日新聞》）。

文化十二（一八一五）年　四十三歲
《蒙雅秘錄》成。
文政元（一八一八）年　四十六歲
賴春水來訪。
起筆《空石日記》（至天保六年止）。
《蒙史》六卷完成。
文政二（一八一九）年　四十七歲
《神經蒙史》《蓼莪九德演義》成。
文政三（一八二〇）年　四十八歲
註《夏小正》，作《穆天子傳考》。
文政四（一八二一）年　四十九歲
《烽山五記》成，著《周易僭考》三卷、《病床抄筆》《病間漫筆》。
文政五（一八二二）年　五十歲
註《太玄贊》，讀《詩經》《爾雅》《山海經》作《翫古》一冊。
文政六（一八二三）年　五十一歲
三兒修三郎夭折，作《傷逝錄》三冊，《附錄》一冊。
廣瀨旭莊入學門下。

文政七（一八二四）年　五十二歲

作《家學小言》一卷、撰《周禮抄疏》三冊、《周易僭考》續篇。

文政八（一八二五）年　五十三歲

《尚書考》十一卷、《孝經考》一卷、《孟子考》二卷成。

文政九（一八二六）年　五十四歲

《語由述志》十冊成，著手《左傳纘考》。

文政十（一八二七）年　五十五歲

撰《春秋經例考》。

文政十一（一八二八）年　五十六歲

撰《左傳纘考》三十三卷，並作附錄、總論。❸

文政十二（一八二九）年　五十七歲

《左傳纘考》改作。

天保元（一八三〇）年　五十八歲

撰《大學考》一卷、《中庸考》一卷、《養生訓抄譯》。

天保二（一八三一）年　五十九歲

---

❸ 龜井昭陽撰述《左傳纘考》而作附錄、總論的記載，見其所著的《空石日記》文政十一年的記錄。

《尚書考》十一卷、《國語考》八冊成。

天保三（一八三二）年　六十歲

撰《禮記抄說》十四卷、《夏小正廣說》一冊。

天保四（一八三三）年　六十一歲

撰《毛詩考》二十五卷。

天保五（一八三四）年　六十二歲

《楚辭玦》二卷成。

天保六（一八三五）年　六十三歲

撰《莊子瑣說》三卷、《老子考》（至六十七章止）

天保七（一八三六）年　六十四歲

五月十七日歿。

昭陽一生，蓋竭盡心力於學問之鑽研及經術文章的撰述。由年譜以知，其受南冥之啓蒙，耳濡目染於中國古籍之涵泳，淵源深遠。弱冠之年，其父南冥遭異學禁錮，終身不仕，昭陽牽連波及，亦不受重用，遂轉念於家塾營設，或開班授徒，或專注撰述。故著述其豐。廣瀨淡窓的《儒林評》❹曰：「昭陽著述極多，壯年閉戶閑居，用力於著述，數十年如一日。不

❹ 廣瀨淡窓（一七八二—一八五六）豐後（今大分縣）日田郡人。寬政八（一七九六）年，十五歲時至

與世儒交通，亦不喜見俗人，是其名譽少之故也。」則指出昭陽皓首窮經，勤於著述的情形，然以其鮮與時人交往，故著述未能廣泛流傳，知其聲聞者亦少。雖然如此，明治、大正年間的漢學家西村天囚，於昭陽的學問倍力推崇。其曰：「龜井昭陽乃儒林畸人，九州經學大家。三浦梅國著述至富，經學非其所長。古賀精里爲一代泰斗，不脫性理窠臼。帆足萬里標註《四書》《五經》，猶不免雜學家數。安井息軒以經學標榜，識者以文章家視之，其餘或以詩、或以文章、或以學行兼優，聲名馳世者多。至於經學，蓋以昭陽爲巨擘。以人而言，南冥高於昭陽；以經學而言，昭陽優於南冥。昭陽非獨恢宏龜井氏之先業，稱霸九州而已。恐當時經生中，鮮出其右，亦海內之一大儒也。」❺

昭陽之爲江戶時代經學巨擘者，以其專注於經傳注疏，於《易》《書》《詩》《禮》《春秋左氏傳》《四書》《孝經》等無不涉獵，固可略知一二。然而其鑽研之功如何，於經傳傳述有何闡發，町田三郎先生以昭陽的《禮記》抄說》爲例，具體地指陳而出：

福岡謁見龜井南冥、昭陽父子。翌年入學甘棠館。所著《儒林評》旨在評騭江戶時代儒者的得失，持論允當，乃理解江戶儒學之貴重史料。今收錄於《增補淡窓全集》（日田郡教育會編、一九七一年、思文閣），也收載於《日本儒林叢書》第三卷（關儀一郎編、一九七八年、鳳出版）。

❺ 西村天囚之文，見前引《異彩ある學者》。

昭陽雖未必有明確地考證方法的提出；而其盡力於分析性、結構性之思考與開展，亦即致力於素材的分析、章篇結構的解釋、全體旨趣的闡明，進而辨明諸章節之有無連貫性。如此注疏，蓋有助於後代學者之研究，或可以之而系統性的解詁經傳，進而建立考證的方法。故於經學的研究，昭陽宜有極高的評價。❻

此說蓋可予龜井昭陽於日本漢學史之定位。

二、《家學小言》撰成的經緯

《家學小言》，本文三十三章，又序文，題跋各一。是龜井昭陽（一七七三—一八三六）於文政七年（一八二四）八月，爲一主禪師撰述的❼。據昭陽所記《空石日記》卷十八所載，其於是年八月。

十三日　夜，《小言》起艸。

十四日　艸，……三更起，艸，至明

❻ 町田三郎先生之說，見所撰〈「漢學」二題〉（《地域における國際化の歷史的展開に關する總合研究—九州地域における—平成元年科研成果報告書》）

❼ 昭陽於〈題《家學小言》後〉指出：「《小言》，我所爲一主禪師遽然起草也。」

十五日　初夜，《小言》散寫了。
十六日　潤定《小言》。
十七日　《小言》校了。夕始登。
十八日　初夜，登了十三頁半。
十九日　句點了，使門生鐵也寫之。
二十日　作〈題言〉。……寅起，點〈題言〉。
廿二日　始講《家學小言》。
廿四日　《小言》講畢。

即以旬餘日的時間，撰寫，增訂，點校並講授《家學小言》。其所以名之爲《小言》者，一者，如〈題家學小言跋〉所稱，是「蘧然草也」。再者，蓋以時日不甚費，且篇幅並不大，故謂之也。

「家學」者，一家之學也。即昭陽敘述其龜井氏一家的學術傳承及宗尚所在。《家學小言》序曰：

諸儒皆宋習，王考不信。得物氏之書，悅曰，君子之學在茲。王考方正儼恪，而宏度汪汪，惡儒者多曲辯，以爲失其本也，……其遺訓曰、務明大義、施之行實。

即追溯其祖聽因的學尚，在尊奉徂徠學而不守宋儒門徑，惡言辯而務行實。至於其父南冥之學，則以《論語》爲宗尙，著有《論語語由》二十卷。昭陽曰：

> 語由者，明聖語之所由出也。（《家學小言》第三章）
>
> 先考志在經世、不喜章句。（《同上》第七章）

又南冥曰：

> 愚按，後人說《論語》者，草原於《孟子》也。其既原於《孟子》、《論語》非復孔門之舊也。其既非孔門之舊，胡以《論語》爲。（《論語註由》卷一，〈學而時習之〉章注）

即南冥治《論語》之方，非但不就宋儒之注釋，亦不用《孟子》的義理，而直探《論語》立言的根由。昭陽子承父志，以爲南冥「所論鷙，實百世之格言也。」（《家學小言》序）乃摘略其要，以成《家學小言》，而示諸門下弟子。又撰述《論語語由述志》，以闡發《論語語由》的奧義，俾使其父之學知聞一時，傳諸後世❽。然則，昭陽除闡述南冥的《論語》學之外，於經學的窮究亦甚精微，昭陽自稱：

❽ 昭陽序《家學小言》曰：「以余不肖觀之，先考所論鷙，實百世之格言也。今略其要，以示門人小子。」即傳述其父南冥所撰《論語語由》的精要，進而敘述自身學問的宗尙，俾使門人弟子知曉學問之道的根本所在。

> 余之用畢世力於《詩》《書》，猶先考之於《論語》，它日書成，以問於世，後世必有公論。（《家學小言》第二十五章）

檢尋昭陽的著述，於《易》《詩》《書》《禮》《春秋左氏傳》《論語》《孟子》《孝經》《爾雅》等經書皆有考釋。是知昭陽學問宗尚在經術。故西村天囚稱其爲江戶時代經學巨擘❾，固非過譽之言。

此昭陽敘述其龜井家三代家學淵源與學術宗旨，進而以「家學」命篇的意義所在。再者，昭陽指出：「世倫必謗我而曰，爲僧伽那談道。此亦家學一節。」（題《家學小言》跋）即與一主禪師談論龜井家的學術傳承的旨趣，亦是其家學的一端。何以昭陽以與禪師論儒道爲其家學傳承內涵之一，蓋龜井氏一家與僧侶有極爲深厚的因緣。據昭陽所說：

> 物氏沒時，王考年二十五。後閱二十九年，而聞甘露潮公親炙物氏，以先考託之。先考年甫十五。（《家學小言》序）
>
> 先考之學，自大潮學詩文始。（題《家學小言》跋）

---

❾ 西村天囚之《異彩ある學者》敘述說：「龜井昭陽乃儒林畸人，九州經學大家。三浦梅園著述至富，經學非其所長。古賀精里爲一代泰，斗不脫性理窠臼。帆足萬里標註四書五經，猶不免雜學家數。安井息軒以經學標榜，識者以文章視之。其餘或以詩，或以文章，或以學行兼優、聲名馳世者多。至於經學，蓋以昭陽爲巨擘。」（原文爲日文）

即龜井聽因嗜徂徠學，聞僧大潮擅徂徠學，乃遣其子南冥就學於其門下，研習詩文。

安永六年（一七七七），南冥東遊，途次德山藩，得識島田藍泉❿。青風明月之下，飲酒賦詩，談論經術，甚爲相得。歸返福岡之後，二人書翰往復不輟。天明五年（一七八五），德山藩學鳴鳳館開設，藍泉受任教官，後擢升學頭。寬政三年（一七九一），南冥使昭陽往赴德山，受教於藍泉門下。藍泉者，德山教學院住持，法名淨觀。

文政七年（一八二四）五月，善解旋律，精通唐韻的僧一圭來訪，與昭陽談論漢詩聲律，品騭日本漢學優劣。以一圭和雅方峻，昭陽乃爲述《家學小言》⓫。於福岡百餘日停滯而轉赴日田的夜晚，昭陽竟「宵不能眠，食亦無味」。（《昭陽文集》初編，卷十一〈復山士繁第二十七信〉）而天保二年（一八三一）七月，一圭臨終之際，遺言發訃至福岡，歸返向昭陽借用之《西廂記》，並以月琴彈奏流水曲以示訣別之意⓬。二人相知之深可見知也。

又南冥之弟曇榮於安永七年（一七七八）繼福岡崇福寺八十六世德隱之嗣，旋任住持。茲以圖示龜井家與禪僧之淵源

❿ 島田藍泉（一七五一——一八〇九），字道甫，通稱右京，號藍泉。從瀧鶴台受徂徠學。天明五年德山藩開發鳴鳳館，藍泉於享和三年授任教官。又任德山教學院住持，法號淨觀。（詳參荒木見悟先生〈島田藍泉研究〉、《哲學年報》第三十五、三十七輯、一九七六、一九七八年）。

⓫ 參見荒木見悟先生《龜井南冥、龜井昭陽》頁一五三—頁一五六（一九八九年、明德出版社）。

⓬ 昭陽以識一圭禪師而始知月琴。

龜井聽因　僧大潮
　　└─ 龜井南冥　島田藍泉
　　　　└─ 龜井昭陽　僧一圭

日本近世之中國學的流傳，蓋自學問僧之傳漢學爲權輿。無論林羅山之講述宋林希逸的老子、莊子口義；或西村天囚以爲日本宋學的啓蒙，都出自於僧侶。⑬故日本漢學的傳承流衍，誠與僧侶息息相關。而昭陽以爲「竊惟自博士失職，文學在桑門數百年，使本邦文學不拂地，釋之力也。」（題《家學小言》跋）又「昔此豐老儒石彥岳問當世文人於余，余曰東有古梁、西有藍泉。未知其他也。彥岳不悅曰，不圖斯文都落髡徒矣。」（《同上》）或昭陽以爲龜井家與僧徒因緣頗深，故有此家學私言之論。雖然如此，昭陽又指出：

> 夫三教之祖，誰非靈聖，其末流之多辟，三家何別，唯在其人耳。（題《家學小言》跋）

⑬ 林羅山講述林希逸老、莊口義者，見《林羅山文集》；西村天囚以僧徒傳授宋學者，見其所著《日本宋學史》。

夫論文者，固當論其文。（《同上》）

夫經義者，百王之公論也。輯其說，宜普求其說之善者。（《同上》）

是知龜井家學在於唯善是從的擇善固執。至於經術文學的主張，則博采通說以探求經傳其義，以免流於末流多岐之嫌。《家學小言》蓋多從此旨立論。

三、《論語》論

龜井南冥窮其精力於《論語》的注疏，而成《論語語由》。昭陽述其父志，發揮《論語語由》的義旨，宛然有以疏衍傳的用心，而撰述《論語語由述志》。復以《家學小言》要約其龜井家的《論語》學。其曰：

傳述者，聖人之任也。始終於仲尼，而萬世通行。……仲尼既以傳述自任，言言語語盡矣，何未發之有。其如將言而未言者，固有言而不可者，故也。（《家學小言》第一章）

即根據「子在陳，曰，歸與，歸與，吾黨小子狂簡，斐然成章，不知所以裁之。」（《論語・公冶長篇》）及「子曰，述而不作，信而好攴。」（《論語・述而篇》）而以為孔子於陳蔡之厄後，歸魯授徒，以傳述先王之道。故南冥曰：「夫子論述斯道，從事教學。……言天命在教學也。天命所在，奉以為職。⑭」再者，其又探究「子曰：二三子以我為隱乎。吾無隱乎爾，吾無行而不與二三子者，是丘也」（《論語．述而篇》）之義，以孔子之誨諭，蓋知無不言，且言無不盡。亦即以憤啓悱發爲孔子傳道授業的基本精神，而此一教學宗旨的具體體現，則是因才施教。蓋以資質有異，才性有別，故所授亦不同科。如

> 柴也愚，參也魯，師也辟，由也喭。（《論語．先進篇》）
>
> 由也果，……賜也達，……求也藝。（《論語．雍也篇》）

所謂子羔的愚直；曾參的魯鈍；子張的不飾邊幅；子路的剛猛果敢；子貢的通達事理；冉求的多才多藝等分析，乃孔子對弟子性格的理解，由於各人的才氣有異，所以啓發亦有不同。如

> 子路問，聞斯行諸。子曰：「有父兄在，如之何其聞斯行之。」冉有問，聞斯行諸。子曰：「聞斯行之。」公西華曰：「由也問，聞斯行諸，子曰：『有父兄在。』求也問，聞斯行諸。子曰：『聞斯行之。』赤也惑，敢問。子曰：「求也退，故進之；由也兼人，故退之。」（《論語．先進篇》）

子路與冉求同問，凡合乎情義者，即實踐之，可乎。而孔子以爲子路果敢勇行；冉求逡巡退縮，故所答有異，諸如此類的答問，屢見於孔問的對話中。因此，昭陽衍伸此義，曰：

⓮ 語出《論語語由．述而篇．默而識之》章注。

仲尼之教，因其才而篤焉。故異能之士鬱起。答問之所以每人異也。（《家學小言》第七章）

所謂「答問之所以每人異也」，即龜井南冥所著《論語語由》之「語由」的命義所在，亦即龜井治《論語》的門徑。換而言之，即直探孔子立言的本義是《論語語由》一書的宗旨所在。故昭陽記述「語由」之義，曰：

語由者，明聖語之所由出也。……謂之語由，語語必有由。」（《家學小言》第三章）

就《家學小言》之所述，龜井父子探究孔子傳述根源的所在，蓋有答問因人而異的因由、思想主旨之所在二端。關於前者，昭陽曰：

問政一也，而語以諭臣者，由其臣有三桓也。語以節財者，由其君無儉德也。語以近說遠來者，由其民有離心也。

即各國諸侯問爲政之道於孔子，而孔子所答則殊異。昭陽指出，以魯有三桓僭越，故孔子答哀公之問政，曰：「政在選臣。⑮」又以齊景公奢淫，故答曰：「政在節財。⑯」至於答葉公之問，則對曰：「近者說，遠者來」者，蓋以諸梁僭稱公，民有離心之故。又如

⑮ 語出《史記・孔子世家》。

⑯ 同上。

子路也，故曰焉能事鬼。而宰我則語之。衛靈也，故曰軍旅未學。而冉有則教之。多能鄙事，而曰不如老農，爲樊遲也。莞爾而笑，而曰前言戲之，爲言游也。（《家學小言》第四章）

答弟子問事鬼神之事，或曰未能事人，焉能事鬼。或謂述齊喪三年之期的因由。至於冉求問征伐之事，以衛靈公無道，故答曰未學。以弟子可教，雖有過，仍曉以隙在蕭牆之義。凡此答問之所以殊異，昭陽以爲，乃是因爲「時事恆變，而人心不同，故仲尼之與人語，亦毋固毋必，語語皆活動。」（《家學小言》第三章）即因時地事物的差異，人的德行才性有別，故孔子的答問有深淺輕重的不同。

先考志在經世，不喜章句。謂《論語》，聖人活用，活物之書也。（《家學小言》第七章）

所謂「（先考）不喜章句」，蓋秉持其龜井家徂徠學風，治中國古典而不採官學所立之程、朱章句。再者，進而綜括《家學小言》之所記述：「孔子未嘗詁仁以教人，蓋教之以術也」（第十一章）「傳授心法，孔門所無」（第十四章）「語性語心，孔門所無。仁義禮智，亦孔門所無。至加信以配當五行，造言極矣」（第十五章）等，即龜井父子檢尋《論語》的文字，以爲孔門師弟的論述，罕言抽象性的形上理論。至於《論語》一書的性質爲何，龜井氏以爲在活用，爲活物。然而孔門「活用」的所在爲何，南冥以爲在「經世」，昭陽推衍「經世」之義，具體地指出孔門宗旨在「主忠信」的濟用。昭陽曰：

> 子曰：「主忠信。」而宋儒別創主敬之說，家言也。……普稽經籍，忠信之教，合規前聖。而孔門無主敬之教。施之庠序，行之邦家，主敬之不如主忠信，固也。故我門不設多少條目，以百事主忠信爲教。唯是三字，終身用之有餘。吉凶賢頑之別，自此出矣。（《家學小言》第三十二章）

即不取宋儒居敬修德以成內聖之途徑；而以爲孔門之教乃以忠信爲主。亦即以處世接物所必備之盡己所能的忠及爲人謀，與人交的忠信爲孔門宗旨，進而以之爲龜井家學的主旨。換而言之，龜井父子的「《論語》學」，不取宋儒的存敬理學，也不因循伊藤仁齋的「仁說」之路；乃在於濟日常生活之用，可具體實踐的「主忠信」之教。

四之一　孔子弟子論

> 「先考謂不肖曰、孔門、人物之府也。」（《家學小言》第五章）

龜井父子以孔門才俊特出，論儒學傳承，不得越四科弟子而直謂孔、孟的接續。至於龜井父子如何定位孔門弟子。昭陽曰：

張貢游夏在《論語》則弟子列也。孟子之在其書則南面而立。……維持大義，贊成《六經》爲夫子股肱羽翼，其學德賢於孟子，無不及也。（《家學小言》第八章）

即以直傳弟子非但賡繼孔子傳授，學有專攻，並能維繫經義傳承於不墜，此一論述，蓋不取宋儒崇孟之說，而取漢唐以孔門弟子傳述經義之說。如司馬貞謂：

子夏文學著於四科，序《詩》、傳《易》。又孔子以《春秋》屬商。又傳《禮》，著在禮志。[17]

謂子夏名列文學，功在經傳大義的發揚。又《孔子家語》曰：

言偃、魯人、字子游。少孔子三十五歲。特習於禮，以文學著名。（卷九、七十二弟子解第三十八）

漆雕開、蔡人、字子若，少孔子十一歲，習《尚書》。（《同上》）

即指出子游長於禮，而子若於《尚書》頗有研習；再者，《史記》記曰：

曾參、南武城人、字子輿，少孔子四十六歲。孔子以爲能通孝道，故授之業，作《孝

---

[17] 語出《史記・仲尼弟子列傳》司馬貞索隱。

經》，死於魯。（卷六十七，〈仲尼弟子列傳〉第七）

即以曾參能盡孝道，故孔子授以倫常之義，曾子載錄所述而成《孝經》。綜上所記，孔門弟子頗深於經義，亦能傳述聖學，故昭陽以爲：

孔門多才德如孟子者……君師之大節在茲。（《家學小言》第二十八章）

非但不宜崇孟抑孔子弟子，蓋其才德不亞於孟子；且以其能傳孔子之說，又仕當世諸侯大夫，如子路，冉有爲季氏宰；或爲諸侯師，如「子夏居西河，爲魏文侯師。⑱」故昭陽以孔門弟子文質兼勝，定其位於「如孟子」，且贊稱「君師之大節在茲」。

四之二　南冥自比於子張

先考謂不肖曰：「孔門，人物之府也。」……不肖因問大人比孔門何人。先考笑曰，我豈敢，必也子張乎。（《家學小言》第五章）

龜井南冥多推崇孔子門人，以爲孔子弟子多人能特出者。昭陽因問：若比於孔門弟子，將爲何人。南冥答曰：顓孫師。是則何以南冥自比於子張。茲考察子史所載子張之事，或可藉以

---

⑱ 語出《史記·仲尼弟子列傳》。

推測南冥的性格。

子貢問師與商也，孰賢。子曰：「師也過，商也不及。」曰：「然則師與也。」子曰：過猶不及。」（《論語・先進篇》）

柴也愚，參也魯，師也辟，由也喭。（同上）

子張「過、辟」乃孔子的評點。所謂「過」者，朱熹曰：「子張才高意廣，而好爲苟難。」「才高」之注，乃承襲馬融之說。而「意廣而好爲苟難」之注，或本於子張之求問其多與「愼言、愼行」則「寡尤、寡悔」[19]的答問而云然。所謂「辟」者，何晏引馬融語曰：「子張才過人，失在邪辟文過。」王弼亦曰：「僻飾過差也。[20]」朱熹推衍而申說之曰：「辟，便辟也，謂習於容止，少誠實也。」然則朱子「習於容止，少誠實」之說，蓋本之於《孔子家語》之所載。《孔子家語》卷九〈七十二弟子解〉記錄子張的爲人曰：

（子張）有容貌，資質寬沖博接，從容自務。居不務立於仁義之行，孔子門人友之而弗敬。

---

[19] 語出《論語・爲政篇》。

[20] 見引《漢文大系》所收之《論說集說》。

王肅注曰：「子張不侮鰥寡，性愷悌寬沖。然不務立仁義之行，故子貢激之，以爲未仁也。」實則《孔子家語》及王肅所描繪之子張「寬沖博接，不侮鰥寡。然不務立仁義之行」的性格，即南冥的氣象。子張「不務立仁義之行」，南冥則以爲「孔子未嘗詁仁以教人」（《家學小言》第十一章）、「傳授心法，孔門所無」（《同上》第十四章）、「仁義禮智、亦孔門所無」（《同上》第十五章）。即龜井氏之學不主於抽象性的意會敘述。至於子張的「寬沖博接」的性格，在南冥的孔學理解，則是「忠信之教，合規前聖。……施之庠序、行之邦家、主敬不如主忠信。」（《同上》第三十二章）蓋忠則「愷悌寬沖」，信則博接衆容。此所以南冥自比於子張的所在。亦可窺知南冥才高意廣而氣象寬沖博接。

五、《孟子論》

龜井父子尊崇孔子，以孔子樹立典範於後世，如日月之垂照萬物。又以入門弟子親受孔子之教，才智英發者輩出。至於匹配孔子，爲宋儒所推奉景仰之孟子，龜井父子則不以爲然，而於《孟子》思想有所批評。其曰：

> 傳述者，聖人之任也。始終於仲尼，而萬世通行。辟如天地，其有副者邪。人之躋《孟子》配《論語》者，未知仲尼之爲宇宙一人者也。況簧鼓以爲發前聖未發者，不遜於聖人莫甚焉。仲尼既以傳述自任，言言語語盡矣，何未發之有。（《家學小言》第一章）

龜井氏以爲孔子之傳述爲志，則未嘗有未言者也，即便有未言者，乃言而不可者也。至於宋儒躋孟子以配孔子者，蓋以《孟子》發揮《論語》未盡之旨，得孔子眞髓之故也。實則甚有未妥者。龜井氏曰：

> 《孟子》爲一概之說，至宋儒學問遂爲死物。不問其世，以論古人。不問其才，以絞子弟。（《同上》第七章）

所謂「一概之說」，龜井氏自解曰：「以一槩百，家言也。」（《同上》第十一章）即「不問其世」，亦「不問其才」，僅於自身之義理架構及思維系統，提出自成一家的主張。至於是否得以行之於世，於弟子是否有所啓發，則付諸闕如。再者：

> 仲尼曰性相近也。而孟子謂之善，外禮樂也。荀子謂之惡，主禮樂也。各鳴其所見，以救一世。家言也。（《同上》第九章）

龜井氏以爲孔子但指出生民天性相近；而《孟子》則強調人性本善，只要遂行四端，則人人皆可成聖成賢。《荀子》則以爲人天生而有欲求，若無節制，則不免有爭亂困窮的衍生，故主張起僞化性，以禮樂爲節度，龜井氏指出孟、荀皆有所見，或主揚善；或以起僞而匡救時弊。然則，無論主性善，或主性惡，各執一端之詞以倡言議論而已，皆未言及如何而可行的實踐工夫。是故，龜井氏又指出：

師儒出於《周禮》。然儒家者流，至於《孟子》始見。……所謂知義與否，在其行事如何耳。豈以辨內外之空談爲知乎。學問外行實，而以理與言孤行，安復不與楊墨爲伍耳。（《同上》第十章）

即以義爲宜行所當行，亦即「義」之義重在行而不在義內與義外的理辨之上。既在辨內外，批楊墨，則有家學門戶之別，一旦有彼我是非之辯，終不免於不得已的好辯爭執。是故龜井氏以爲道術爲天下所裂，而儒學成家，列入流派，蓋始於《孟子》。後世推崇孟子，以其性善，四端，義內說，乃儒家思想的精義所在，故匹配孔子，共享宗祠。然龜井氏宗聖孔子，以爲仲尼之說，乃道術之全。至於孟子盡於正統與異端，是與非的言辯，終爲門派樹立的倡行而已，於儒學傳承的全體大用，孔子學術的精微，則未見有所闡述與發揚。甚且，昭陽以爲：

《三禮》皆古書也。……《三禮》及《詩序》《左傳》，大率爲孟子裂矣。……夫《孟子》之說，已與孔門背馳多，其不合三禮古書，固矣。（《同上》第二十三章）

孔門尚經說，《孟子》則以古書未可盡信不疑。由此觀之，《孟子》所傳未必符合孔門之教。再者，昭陽崇孔尚經義，以爲經義多存孔子學說之宏旨，故其於《孟子》，自有「與孔門背馳多」，「左氏之言不背孔門、至《孟子》多落落不合者」（《同上》第二十八章）的批評。至於其以爲《孟子》之說爲家言，而宗法孟子之宋儒的學門爲死物，亦可理解。

六、宋學論

昭陽曰：「《孟子》爲一概之說，至宋儒學問遂爲死物。」（《家學小言》第七章）即於孟子以性善、四端說爲繼往聖開絕學，頗不以爲然。因此就論辨立場而言，龜井父子於尊奉孟子的宋儒學問，自不推崇。其曰：

> 先考曰勝人欲、復天理，則仁不可勝用，似聽蟲鳴。竊惟天理人欲，〈樂記〉一出。孔門未嘗以是教人也。而宋儒貽之。此謂言仲尼所不言。（《同上》第四章）

所謂去人欲而存天理，乃宋儒以爲「克己復禮」而成聖存養的工夫。然龜井氏以爲天理、人欲之說蓋始見於「樂記」；而非孔子之教。此乃龜井氏批評宋學的論說基調。即探究宋儒主要論說之依據，是否源出於仲尼之論，若不然者則非孔門的傳承。如

> 朱氏謂氣質變化，主孟子也。……程氏曰性之本即理也、善也。何相近之有。殆狂也。本然氣質之性，猶仁義內外之辨，孔門所無。（《同上》第九章）

孔子曰「性相近」，而未言性之本即善、即理。又曰「習相遠」，而未言氣質變化。此龜井

氏之持說，即以宋儒所崇尚的性善說與存天理以去人欲的復性說㉑，乃孔子所未言者。如此，則宋儒之主張不得謂爲傳孔子之說。又：

> 傳授心法，孔門所無。宋儒說人心道心，亦孔門所無。（《同上》第十四章）

朱熹解題《中庸》曰：「此篇乃孔門傳授心法，子思恐其久而差也，故筆之於書，以授孟子。」即以《中庸》開宗明義之「天命之謂性、率性之謂道，修道之謂教」爲孔門傳承的秘要。至於天命之心性與率性之道如何而有關聯。宋儒則引述《尚書·大禹謨》篇之「人心惟危、道心爲微、惟精惟一、允執厥中」而開展宋學的形氣心性論。蔡沈解「人心」與「道心」曰：「心者人之知覺，主於中而應於外者也。指其發於形象者而言，則謂之人心。指其發於義理者而言，則謂之道心。」即由天生良善之心的發用，而遂行合宜事理的實踐，乃是宋儒所謂人心與道心之關涉的義理所在。然則，龜井氏以爲天理人欲出自〈樂記〉；心法傳授乃宋儒對《中庸》撰述的解說；人心與道心的心傳，源出《僞古文尚書》，於《論語》書中皆未得見之。即孔子並未以心法傳授與道心精微而教授弟子。是故宋儒所謂道心傳承不可謂爲孔門之教。再者，宋儒推衍心法相傳而指稱的儒門道統，如李元綱所述的道統相傳圖：

㉑ 復性說見《孟子·滕文公上》「孟子道性善言必稱堯舜」集注。又《孟子·告子上》「民之秉夷也，故好是懿德」集注亦引程子復性說之言。

伏羲—神農—黃帝—堯—舜—湯—文、武—周公—孔子—顏子、曾子—子思—孟子—
周子—程子、張子—朱子㉒

錢大昕《十駕齋養新錄》指出：「道統二字，始見於李元綱聖門事業圖。其第一圖曰，傳道正統以明道伊川承孟子。其書成於乾道壬辰，與朱文公同時。案道統之名，雖前古所無，至其古聖人所遞傳斯道次序，韓退之既開其端，是宋儒所本也。」即以「道統」之名的提出，雖始於宋的李元綱；然則堯、舜、文、武、周公、孔、孟的儒家傳承，既已見於韓愈的〈原道〉。探究韓愈之提出儒家傳承譜系，其用心乃在提倡儒道以濟天下之溺。換而言之，是時佛老充斥，斯道不存，乃極言道教的駁雜不純佛教的虛幻怪誕，唯有聖賢相傳的儒家思想，才是正統之學，足以起弊振衰，而匡救人心的頹廢。進而言之，韓愈之所以撰述〈原道〉，其一、是以聖賢之道抗拒外來的佛教文化；其二、則托言黃、老的道教迷亂人心，不捨置，則不足以歸於正道。至於李元綱之提出聖門道統圖，則無非是綜括宋儒學問，維繫宋儒之儒家思想傳承的正統地位。然則宋儒何以主張儒家的道統，其因由或與韓愈〈原道〉、〈諫迎佛學〉的用意相同，乃在於對抗佛教，反對禪宗的衛道意識之伸張。因此，龜井氏指出：道統之說未見於孔子之教，甚且「竊惟道統出自佛氏」（《家學小言》第十三章）即所謂〈道統〉

㉒ 參李元綱《聖門事業圖》。

之名，蓋源自佛教宗派相承的傳燈譜系，亦即外來文化的產物而非本土舊有相承的孔門之教。此昭陽批判宋儒學說頗多非孔門正統之教的所在。

七、徂徠論

關於龜井父子之學，一般的學術流派分類研究，多歸屬於徂徠學派㉓。誠然地，龜井聽因傾心於徂徠之學，以爲君子之學在焉。乃遣南冥就學於親炙物氏之甘露潮公的門下。且南冥甘棠館的教學宗旨，亦不以幕府官學所崇尚的程朱理學爲宗；而較傾向於徂徠的古文辭學，此或爲後世日本漢學研究者之所以將龜井氏歸屬於徂徠學派的原因所在。然則，細究龜井南冥・昭陽的敘述：

家君之言曰：《二辨》不如《語徵》，《語徵》不如《文集》，《文集》不如《政談》。是讀物氏書之大臬也。（《讀辨道》㉔第三則）

㉓ 日本漢學學派或譜系之研究，都將龜井南冥、昭陽父子歸屬爲徂徠學派，如牧野謙次郎《日本漢學史》；關儀一郎、關義直共編《近世漢學者傳記著作大事典》附錄〈漢學者學統譜〉；竹林貫一編《漢學者傳記集成》。

㉔ 《讀辨道》一卷，文化九年，昭陽四十歲時講述者。旨在品騭徂徠所著《辨道》之得失。天保七年，昭陽歿，門人文獻請昭陽次男陽洲謄寫，翌年出版。

南冥以為徂徠的著述中，《辨道》及《辨名》不如《論語徵》，《論語徵》遜於《文集》，而以《政談》最佳。則可見南冥雖受徂徠學之教，其於徂徠的著述，未嘗不含有批判性的意味。而昭陽於徂徠的品騭則詆譭多於贊譽。昭陽曰：

> 余生來思古文辭三言。（《讀辨道》首則）

所謂平生不喜「古文辭」三字，即於學術研究上，不苟同於徂徠古文辭學派的立說。如此議論則與其祖龜井聽因「得物氏之書，悅曰，君子之學在茲」，以為徂徠的立說為聖學所在的贊歎，乃大異其趣。至於昭陽如何論定徂徠的學術，其以徵古義而論經術，務實學，倡封建論，以先王之道在物不在理而駁宋儒心性論為虛幻，乃是徂徠學的長處。至於才識堂堂而少縝密，疎於經書之鑽研以致經義之論頗多缺失，則是徂徠性格的缺陷與學術有不足取的所在。昭陽指出：

> 以古文言徵古義，物氏得之。（《家學小言》第二十章）
>
> 物氏多徵古義於漢儒，亦得之。（《同上》第二十一章）

徂徠倡古文辭學，主張文必秦漢。至於經義的闡述，則不取宋儒的義理，而多從漢儒的解詁以明先儒著述的宗旨。龜井父子的學問，以探究聖人述作的原義為宗尚。其既主張「語由」，以「明聖語之所由出」，則不苟合於後儒的心性理氣之說，而以古言古義徵聖賢著述立說原

委的古學爲是。故昭陽以爲徂徠「徵古義」之說爲是。再者

物氏曰，先王之道以物不以理，得之。（《同上》第十八章）

徂徠宗《荀子》，倡禮樂之說。以禮樂制度即先王治道的所在㉕。故其曰：「先王之道，以禮制心。外乎禮而語治心之道，皆私智妄作也。」（《辨道》）即以具體而可爲施用的禮樂制度，始爲先王之道，至於宋儒的心性理氣之學固然精微，然而「理無形，故無準」，（《同上》）終無所可用。龜井父子以孔門之教在於「主忠信」，並以之爲家學信條。昭陽以爲「百事以主忠信爲教，唯是三字，終身用之有餘。」即以爲學的宗旨在立身行道，而身修道行的根據則在於忠與信。換言之，龜井父子乃主張聖賢之道在以忠信而終身受用的實用意義；故昭陽以爲徂徠「先王之道以物不以理」合於孔門之教。而昭陽以爲徂徠所論最切合治道實用的是封建論。昭陽曰：

後世更封建而郡縣，而先王之道，爲世贅疣。此論孔嘉。……實能爲民之父母者，非封建之君不可，而有待于聖人之道。……祗適孔門之典刑，以開王侯之務，是余畢生之大願也。……夫朱子之學，治世則可，束縛人才，使人沈默，易治故也。今之諸侯，盛行朱子之書，可謂有見矣。然天下之生久矣，後世少蠢，其人心必痼矣，其國必弱

㉕ 說見徂徠《辨道》。

矣。何則，宋儒者能靜而不動，雖不害人乎，將爲人所害。雖不行不義乎，將爲不義者所斃。……夫我日本義氣之高，固無借宋儒之言也。封建之國以強兵爲本，無事則已，萬一有事，顓守朱子之學者，國其不競乎。有土之君不可不畏。……獨余芭區區之志而觀物子之說封建，偶爾感發。且余崇物子優於朱子，亦唯以是已。（《讀辨道》第十則）

以宗法維繫政治體系，以禮制規範匡正人心，使上下不致失墜，秩序不致紛亂，此乃封建王侯用聖人之治而開務成物的極致。此昭陽所以贊成徂徠封建論的所在。唯時世更替，勢有轉移，往昔先王之道在禮樂之治；今時藩政務在富強，故宋儒所闡發聖賢之道的心性之說，雖可施行於治世而不適用於圖強致富之世。就用於封建之世而言，昭陽以爲徂徠之學較朱子之說爲切合於時需。故其謂物氏之優於朱子，即在於是否可用於當世。此乃昭陽爲一圭禪師撰述《家學小言》的原因之一，蓋德川立林家爲大學頭，朱子學遂成爲獨尊的官學。其後官學式微，諸學蠭起，寬政年間（一七八九—一八〇〇）始有異學之禁。福岡黑田藩奉旨施行，廢除龜井南冥教授之職，甘棠館遭祝融焚毀亦不得再建，福岡僅存教授朱子學的修猷館。或由於如此遭遇，昭陽乃就用世之觀點而崇物抑朱。雖然如此，就全體綜觀以分析朱，物學術性格，則昭陽有以下之敘述：

學者之相倚齮，朱物爲怨敵深仇，然互有得失，人物並非之器也。要之，朱氏之徒能小訾近思，矯性企高，淑慝甚察；其弊愚也、飾也、賊也。物氏之徒乃曰，此我天命氣質，豈可變乎，故略細行而自恕，多出放逸不檢者，以驚世人。夫物氏之規模大矣。其學睎子路，所志在君子儒。君大夫用之，則國子得從其性所近，而各自成爲一人物，其使人，亦物其官而類其方。國家可以強富焉。近世東肥靈感公則其人也。朱氏學睎曾子，方正敦厚；然議論刻薄而瑣屑，《通鑑綱目》無全人。君大夫用之，則規行矩步，遜言恭色有之；然求備於一人，不容異己者，使人牿其氣質，而謹慤如一。庶官雷同瓦合，而國家弗衰者不矣。故朱氏之風，宜士庶，以其寡過也；以施之君大夫，不無取捨。物氏之風宜君大夫，以其器用人才也；施之青衿，不無取捨。此二氏之大分也，然非達識有度量者，不能知物氏，其言多疎暴也。（《家學小言》第三十章）

即以爲朱子與徂徠並爲非常之人，其學各有所長，如朱子「方正敦厚」，以朱子學責求於士人的人格修養，則能合於規矩節度。徂徠器宇宏大，諸侯大夫效其器量而行之於世，則國富家強。然則朱子學者「求備於一人，不容異己者」，故「庶官雷同瓦合」，銳意新革者甚少，欲致富強者極難。至於徂徠之徒，大抵「略細行而自恕，多出不檢者」，以言行粗暴，故樹敵結怨甚多，屢遭排擠。此朱，物並爲英俊豪傑之不世之士，而互有得失長短之所在。茲復以圖比較朱、物的得失，俾使昭陽所謂「達識有度量」的知人之見，得以一目瞭然。

	得	失
朱子	1.學晞曾子，方正敦厚。 2.君大夫用之，則規行矩步。 3.宜士庶以其寡過也。	1.矯性企高，淑慝甚察，其弊愚也，飾也，賊也。 2.庶官雷同瓦合，而國家弗衰者不矣，故施之君子不無取捨。 3.議論刻薄而瑣屑，通鑑綱目無全人。 4.求備於一人，不容異己者，好使人牿其氣質，而謹慤如一。
徂徠	1.學晞子路，所志在君子儒。 2.君大大用之，國家可以強富。 3.宜君人夫，以其器用人才也。	1.我天命氣質豈可變乎，故略細行而自恕，多放逸不檢者，以驚世人。 2.果敢而窒（《讀辨道》）故施之於青矜不無取捨。 3.其言多害其人多暴，故詾厲於世（《讀辨道》）。

昭陽於朱子學術性格的得失分析，或不免於家學門戶之見。至於其於物氏徂徠的品騭，則從「學晞子路」，志於大德而略於細行處著眼。如：

> 先王之道，立其大者，而小者自至焉。又物子家言。是言一出，虹小子實多，可謂失論矣。……子夏所謂小德出入可也者，非是之謂已，不爾，其以灑掃應對進退，程課其門人小子者，非自語矛楯乎。〈旅獒〉曰：「不矜細行，終累大德。」〈易大傳〉曰：「小人以小益爲無益而不爲也，以小惡爲無傷而弗去也，故惡積而不可揜，罪大而不可解。爲人子弟者，安得沽疏節，忽小物乎。（《讀辨道》第十一則）

即就下學而去，應對進退之節不脩，則德術兼脩而爲世用的上達，乃無由遂行。故徂徠一門言行頗失檢點，怨讟迭生。昭陽說：「（物氏）曰，先立其大者，而小者從之。……物氏之言最賊少年學者，非中人以上，不可語焉。」（《家學小言》第十九章）由於徂徠性格有此缺失，其於著述立說上，則有疎於密察之弊。昭陽指出：

> 今之學者當以誠古文爲要。此物子格言，而物子之於古言黯忽支離，有甚於宋儒者焉。無他，企其大而不矜其小，此所以併與其大而累也。……況辨道，卒卒所撰，振筆鳴其胸中所蘊，不復盡心絞登之。故文辭亦皤如無可觀焉。惜哉，其殫思若序記論說，豈有是紕繆乎。（《讀辨道》第二十五則）

即以徂徠倡古文辭學而駁宋儒心性理氣之說未必發揮孔門眞義，然則徂徠下筆輕率，又缺乏縝密之考證，致論說頗有錯謬。故昭陽說：「以古言徵古義，物民得之。然其所徵，多鹵莽多牽合固滯、多誣。因其才識堂堂而少文理密察也。」（《家學小言》第二十章）再者，疏於經義之探求，亦徂徠學的弊端。昭陽指出：

物子疎於典謨。未嘗審考堯之所以用鯀。《辨名》㉖曰，堯之於鯀，徒知其才而不知其惡。既曰放命圮族，豈不知其惡乎。咈哉物子，且舜之殛鯀，使之者誰邪。物子繆哉。（《讀辨道》第十一則）

元亨利貞配諸仁義禮智，實後儒以孟子讀易之傅會也。然物子嘉會之解，曷其望洋矣。或者難以拄後儒乎。（《同上》第二十四則）

先王四術之說，物子之明通也。祇其所爲說詩，大抵牽國風耳，謂雅頌何。……厘厘二南，可以盡詩乎。噫，物子過矣。（《同上》第二十二則）

詩本無定義，何必守《序》之所言，以爲不易之說乎，物子不知《序》之所以爲《序》。……〈大序〉乃〈關雎〉之解，古人偶於〈關雎〉。敷衍以長之耳。全案此文義不確。〈大序〉乃〈關雎〉之序，不可謂〈關雎〉之解也。〈關雎〉，開卷第一首，故於其

㉖《辨名》爲徂徠所著，與《辨道》並爲徂徠的代表作。徂徠亦自稱《二辨》爲不朽之業。（見《徂徠集》卷二十二、〈復于士茹〉）

序說詩、說音、說六義、說變風，而及〈周南〉〈召南〉。不可謂偶然敷衍也。物子不信《序》，故其於〈關雎〉之序，亦口蒙耳乎爾。（《同上》第二十二則）

就昭陽所舉例證與議論而言，徂徠之「疎乎典謨」者，以其未通貫《尚書》全書，疏於細考詳探通篇旨趣之故。至於徂徠以仁義禮智配合元亨利貞的理解，乃秦漢以來《周易》儒家化思想的傳承；而非遠紹孔子之教，故昭陽以徂徠的《周易》理解爲傳會之說。再者，不信《詩序》側重《國風》的詩說，前者乃宋儒之有別於漢儒詩論的新說；後者則是古文辭學派看重辭章之文藝理論的觀點。與昭陽從漢儒舊說，即重《毛詩》的主張大異其趣，故昭陽以爲徂徠未必知《詩》。綜括昭陽所論，其乃以爲徂徠未窮究六藝傳疏的旨趣。

八、六藝論

昭陽自稱：「余之用畢力於《詩》《書》，猶先考之於《論語》。」（《家學小言》第二十五章）即指出其父龜井南冥窮其一生心力於《論語語由》的撰述，以探究孔子著述立說的本旨。而昭陽繼承家學，以爲中國古代述作的「一言一義」，必考信於六藝焉。」（《讀辨道》第十三則）即以六藝能傳孔門授受宗旨，故於經傳成書的考察與意義的闡述極爲詳密。如：

《周易》爲義之府，孔門所無。……漢儒始引《易》如《詩》《書》，此學變也。

（《家學小言》第二十二章）

蓋以《周易》本爲卜筮之書而非儒家的經典。孔子作十翼之說亦後起臆說。孔子與弟子間固未言及《周易》之事，《孟子》未言及《易》；《荀子》雖有引述《周易》之文，亦僅二處而已，且此或爲後人附加者也。換而言之，自孔子以至孟、荀，終未以《周易》爲師弟相承的經典。現存文獻中，最早稱引《周易》者，爲《禮記》的〈表記〉〈坊記〉〈緇衣〉。㉗此或昭陽所謂「漢儒始引《易》如《詩》《書》，此學變也」的原因所在。又

《春秋》之義，《左傳》與孔門合。不可他求。如《公》《穀》，儒家者流之言。如胡《傳》，無稽之臆說。後世非《左》疑《左》者，皆儒家者流之見也。非孔門之議論。（《家學小言》第二十六章）

即以《公羊》《穀梁》所述《春秋》大義或訓詁，皆後世儒家之言，未必體得孔門之教。至於《左傳》是否遠紹孔子眞義，昭陽於敘述《家學小言》之後的四年，即文政十一年（一八二八）完成《左傳纘考》三十卷，有詳細的考述。此書的總論說：

㉗ 參見武內義雄《中國思想史》第十章〈秦代の思想界〉。（頁一一二—頁一一三、一九八九年、岩波書店）

《春秋》一書明大體而已，《左氏》所傳可以見焉。《公》《穀》多小辯引孟荀諸子及或說其後儒揣摩之言明矣至宋儒以撥亂反正爲口實，字別句別，附會臆說，而聖人所經綸天下之大經，遂爲齷齪儒說。此皆以孟子治《春秋》之過也。唯《左氏》之論人論事合符《論語》，而絕不似《孟子》，所以爲孔門遺典也。

即以《左傳》所載記人物事迹的議論，深得經綸天下之大體，頗能闡述《論語》所存孔子立說的旨趣。故昭陽以爲《左傳》乃「孔門之遺典」。至於昭陽考證經傳成書的典型，則見於天保三年（一八三二）所撰述的《禮記抄說》及天保二年（一八三一）完成的《尚書考》。町田三郎先生指出：「（《禮記抄說》十四卷）博采漢鄭玄、唐孔穎達、清孔廣森等二十數家之說，並引述《左傳》《國語》《儀禮》《詩經》《管子》等書以考證論斷。……〈坊記〉、〈表記〉匹也，猶〈禮運〉、〈禮器〉。……〈學記〉之文，高古妙雅，與《大學》伯仲，如出一手。《中庸》則文之巧，或加二篇，亦有欠古色處。所述《中庸》異於其他篇章，《大學》與〈學記〉之緊密性，皆頗值得參考。……《尚書考》的形式，同於《禮記抄說》，於字句的考證校訂並極嚴密。而此書的最大特徵則在於章節段落的分析。如〈大誥〉篇的末尾……〈酒誥〉篇的篇首……〈梓材〉篇的篇末……皆精細地分析篇章段落的照應關係與文體論旨。進而從章節組成的分析上，明確地指出各章的關聯性與脫衍誤亂的所在。……如此致力於篇章結構的分析，文體旨趣的闡明，進而辨明各章節的關聯，誠爲日本漢學的特色，昭陽雖未必有建立明確的考證方法；然則就其盡力於分析性與結構性的開展，即宜給予極品的評價。[28]」蓋此一結構性地分析經典章節的組合，進而考證校訂字句的衍誤情形，誠有助於後代學者的研究。畢竟旁徵博引以考訂字句的脫衍，章節段落的結構性分析以整合錯簡而釐清篇章的原貌，乃是經傳子史之考證方法的根本所在。明治期的漢學家西村天囚，於昭陽的學問推崇倍至。以爲昭陽的經學成就，於當時學界，無人能出其右[29]。西村天囚之所以如此贊譽昭陽者，固以昭陽於六藝經傳無不涉獵，且有注疏。再者，亦未嘗不是如町田三郎先生所提出的，以爲龜井昭陽致力於考證，足以啓發後世學者。故推舉昭陽爲當代經學的巨擘。

九、結語

龜井聽因奉荻生徂徠之學，以爲天下學問在於此。聞肥前蓮池僧大潮講徂徠古文辭學，乃遣其子南冥受業於其門下。明和元年（一七六四），開設儒學講義所「蜚英館」。南冥所撰〈蜚英館學規〉[30]載記弟子養成之道，說：

---

[28] 參前引町田三郎先生〈「漢學」二題〉。

[29] 參前引西村天囚《異彩ある學者》。

[30] 收於《龜井南冥、昭陽全集》第一卷（一九七八年、葦書房）。

> 古大學造士之道，格物致知。知油然而生，不可禦也。何謂物，六藝皆物也。蓋訓練藝業，以致術知也。是以大學之教，藝業既成。義則默而識之，故曰物格而後知至也。周之禮樂，今之律令也。周之躬御，今之弓馬也。周之書數，今之計簿也。豈有一非事業者耶。不然，身通六藝者，七十二人幾非所稱矣。余學復古之業，自幼好讀禮記，抄其學政散見諸編者，參而考之，於造士之道，頗覺有發明焉。

即以師弟傳承之道在「格物致知」，且物格而知致。然則南冥所謂的「物」，並非《中庸》所載抽象的「率性之道」；而是具體的六藝之學。而六藝之中，尤其是以禮爲責成子弟修德立業的主要根據。此以六藝爲物，以禮爲「造士之道」的主張，蓋承襲徂徠「六經其物也」、「古者道謂之文、禮樂之謂也」㉛的論述而以爲培育子弟的依據。是知聽因，南冥之學乃歸本於徂徠學。天明四年（一七八四），南冥任西學甘棠館祭酒，其所講授者，是徂徠學風的漢學，由於異於藩校修猷館所講的宋學，寬政二年（一七九二），幕府頒布異學之禁，南冥西學教授之職遭撤除，不得授徒。寬政十年（一七九八），甘棠館罹祝融之災，亦終不得再建。昭陽乃徙居百道林，開設私塾教授子弟。

昭陽繼承父祖的學問，講述徂徠學而批評宋儒心性之學。又祖述其父南冥《論語語由》的學問宗尚，以爲漢學研究必本之於六藝，且聖賢著述立說必有其因由。誠如昭陽自稱的

㉛ 語出《辨道》。

「余之用畢力於《詩》《書》，猶先考之於《論語》。」（《家學小言》第二十五章）即龜井南冥窮其心力於《論語語由》的撰述，以闡明孔子立說的本旨。昭陽遍究群經，於六藝無不有注疏。至於南冥，昭陽父子的治學方法，則如昭陽所說的「大經義者，百王之公論也。輯其說，宜普求其說之善者。」（《同上》後跋）無論是南冥的《論語語由》，或昭陽的《禮記抄說》《尚書考》《左傳纘考》，皆於博采通說之上，審愼地考訂論述。是故就昭陽《家學小言》之所敘述，其龜井一家的學問爲就師承淵源而言，三代皆受徂徠學。

就學問根柢而言，南冥爲《論語》；昭陽在於經傳。

就學術宗尚而言，南冥以直探聖人立說之本義爲依歸；昭陽進而博采通說以論經義，又以章節段落的結構性分析而考校錯簡。於徂徠學則是取其善而接受之。

就師友因緣而言，與僧侶知交甚深。

第四章　安井息軒：集日本考證學的大成

一、安井息軒的生涯

安井息軒，名衡，字仲平。寬政十一年（一七九九），生於飫肥藩（今宮崎縣）清武鄉，明治九年（一八七六）卒於江戶（今東京），享年七十七歲。山方香峰稱譽安井息軒的文章說：

> 息軒長於文。法度森嚴，馳騁縱橫而不超規矩，然蒼古遒勁，戛戛然與金石共鳴。誠三百年間第一人者也。❶

所謂「三百年間第一人者」不免有褒獎太過之嫌，唯石川鴻齋的《左傳輯釋》序也說：「余數國朝文人，三百年間，推仲平一人」。又川田剛所作的〈墓碑銘〉則指出安井息軒文章之特色及所取法者。川田剛說：

> （安井息軒）爲文，取法唐宋，上遡秦漢，古色蒼然。

---

❶《近世人傑傳》所收。

唐宋八大家的取法對象是「文必秦漢」。安井息軒的文章既「取法唐宋」，又「上溯秦漢」，所以「古色蒼然」。

有關安井息軒的行狀，黑江一郎《安井息軒》❷一書卷末所附載的年譜頗詳細。茲摘要敘述於後。

寬政十一年（一七九九）　一歲

生於飫肥藩清武鄉。

文化十年（一八一三）　十五歲

十二月，父滄洲任藩校教授。

十一年（一八一四）　十六歲

讀《四書》《左傳》。

十四年（一八一七）　十九歲

輟止和歌和文之研習，於中山寺讀書。

文政三年（一八二〇）　二十二歲

九月，訪都城，作《志濃武草》紀行。

---

❷ 日向文庫刊行會、一九八二年。

十月，入大阪藩儒篠崎小竹門下。

四年（一八二一）　二十三歲

五月，兄清溪沒，年二十六。

五年（一八二二）　二十四歲

四月，自篠崎小竹之私塾休學返鄉。

七年（一八二四）　二十六歲

七月，入江戶古賀侗庵門下，而後入學昌平黌。

九年（一八二六）　二十八歲

四月，自古賀侗庵之私塾休學。五月，拜見松崎慊堂。

六月，母歿，享年五十八歲。

八月，入松崎慊堂之門下。

九月，申請創設清武鄉校。

十年（一八二七）　二十九歲

四月，自松崎慊堂之私塾退學。

五月，隨飫肥藩藩主歸返鄉里。與川添佐代結婚。

十二年（一八二九）　三十一歲

十月，登雙石山，撰述《南山霞標》紀行。

天保元年（一八三〇） 三十二歲

七月，奉准設立藩校振德堂。

二年（一八三一） 三十三歲

三月，振德堂落成。

初夏，任命振德堂助教，父滄洲任總裁，舉家移住飫肥。

受命巡遊九州、上奏《觀風抄》。

四年（一八三三） 三十五歲

三月，受命藩主侍讀，隨從至江戶。

六月，於殿中主持《左傳》之講讀。亦參與藩邸之政務。

五年（一八三四） 三十六歲

四月，隨藩主歸藩。續任振德堂助教。

六年（一八三五） 三十七歲

閏七月，父滄洲歿，年六十九歲。

七年（一八三六） 三十八歲

十月，再至江戶。於京都滯留三十日而後住江戶千駄谷邸。

八年（一八三七） 三十九歲

五月，再度入學昌平黌。

九年（一八三八）　四十歲

三月，歸返鄉里。不久，決定移住江戶。

八月，抵江戶，住千駄谷邸。十二月，移居五番町。

十二年（一八四一）　四十三歲

九月，開設三計塾。

十三年（一八四二）　四十四歲

四月，申請至東北地方旅行。六月獲准。八月，返家。撰寫《讀書餘適》。

十四年（一八四三）　四十五歲

七月，於江戶藩邸講讀《論語》。

弘化元年（一八四四）　四十六歲

松崎慊堂歿，享年七十有四。

十一月，開始於邸內注釋《論語》。

二年（一八四五）　四十七歲

以病請辭官職，不准。

四年（一八四七）　四十九歲

正月，古賀侗庵歿，六十歲。

寫《續讀書餘適》。

嘉永二年（一八四九）　五十一歲

《書說摘要》脫稿。

四年（一八五一）　五十三歲

篠崎小竹歿，享年七十一。

六年（一八五三）　五十五歲

撰述《靖海問答》《料夷問答》《外寇問答》《軍政或問》等有關攘夷論之著作。

安政元年（一八五四）　五十六歲

著《蝦夷論》，主張開發蝦夷（即今北海道）。

二年（一八五五）　五十七歲

九月，與藤田東湖、塩谷宕陰、芳野金陵相識。

三年（一八五六）　五十八歲

冬、請求藤森天山撰寫父滄洲之碑文。

五年（一八五八）　六十歲

六月，外孫小太郎生。

六年（一八五九）　六十一歲

三月，起稿《睡餘漫筆》。

春、撰述《故舊過訪錄》《遊從及門錄》。

十月，谷干城入門。

萬延元年（一八六〇）　六十二歲

請願隱居不仕。

文久二年（一八六二）　六十四歲

七月，謁見將軍。十二月，與塩谷宕陰、芳野金陵授命爲昌平黌教授。

元治元年（一八六四）　六十六歲

二月，任命奥州知縣。八月，請命免除官職。

二月，《管子纂詁》刊行。

慶應二年（一八六六）　六十八歲

四月，撰述《管子纂詁考譌》。

十月，託中村敬宇攜《管子纂詁》至中國，請中國學者爲之撰序。

三年（一八六七）　六十九歲

春，應寶時爲寫《管子纂詁》序。

九月，塩谷宕陰歿，五十九歲。

明治元年（一八六八）　七十歲

三月，校訂《戰國策補正》。

四月，新訂《書說摘要》。五月，脫稿。

九月，開始謄寫《左傳輯釋》《論語集說》。

二年（一八六九）　七十一歲

以專事著述爲由，婉辭明治政府之官職。

六月，講授《貞觀政要》。

外孫小太郎入學飫肥振德堂，時年十二。

三年（一八七〇）　七十二歲

正月，應寶時之《管子纂詁》序終輾轉入手。

十月，改訂《管子纂詁》。《左傳輯釋》完稿。

四月（一八七一）　七十三歲

《左傳輯釋》完稿。

五年（一八七二）　七十四歲

八月，《論語集說》寫成。

八年（一八七五）　七十七歲

冬，起稿《睡餘漫筆》。

九年（一八七六）　七十八歲

九月二十三日歿。

以下爲息軒死後年表。

明治九年（一八七六）

十一月，外孫小太郎入學島田篁村之雙桂精舍，時年十九。

十二月，平部嶠南〈息軒先生行述〉成。

十一年（一八七八）

八月，芳野金陵歿，年七十六歲。

八月，《息軒遺稿》出版。

九月，川田剛〈安井先生墓銘〉成。

十六年（一八八三）

十月，《左傳輯釋》出版。

三十年（一八九七）

十一月，《遊從過訪錄》出版。

三十三年（一九〇〇）

十一月，《讀書餘適》《睡餘漫筆》出版。

三十五年（一九〇二）

十一月，《救急或問》出版。

四十二年（一九〇九）

十二月，《論語集說》《孟子定本》《大學說》《中庸說》（《漢文大系》本）出版。

大正二年（一九一三）

十二月，若山甲藏《安井息軒》出版。

四年（一九一五）

正月，《戰國策補正》（《漢文大系》本）出版。

五年（一九一六）

《管子纂詁》（《漢文大系》本）出版。

十四年（一九二五）

九月，安井小太郎出版先祖安井息軒所作之《北潛日抄》，以爲自身之退休紀念論文集。

十月，《書說摘要》（《崇文叢書》本）出版。

昭和三年（一九二八）

九月，《上明山公書》《睡餘漫筆》《辨妄》（《日本儒林叢書》本）出版。

七年（一九三二）

《毛詩輯疏》（《崇文叢書》本）開始出刊。

八年（一九三三）

四月，《毛詩輯疏》出版完結。

安井息軒生於寛政己未十一年（一七九九），死於明治丙子九年（一八七六）。換句話說安井息軒的一生適值德川幕府末期至明治維新之近代日本動亂期。而安井息軒的學問與其儒家經世的胸懷則是代表幕末維新之際的碩學耆儒。關於安井息軒的學問淵源，乃繼承其父滄洲古學派系統的學問。二十八歲時，遊學江戶，入松崎慊堂之門，潛心於中國經典的研究，鍛鍊其忠實於經傳原義的工夫。松崎慊堂的學問乃以漢唐注疏之學爲主，即嚴謹於一字一句的訓詁，以爲探究經典原義的根據。因此，恣意以個人的臆斷而解釋經傳是離經叛道的。松崎慊堂的學術成就在於縮刻開成石經。其實，石經和定本的考證校勘的工作，大抵成於安井息軒之手。安井息軒也由於參與此一工作，而奠定其校勘考證的基礎。雖然安井息軒在松崎慊堂的門下僅僅一年而已，其嚴格且精密鑽研的學問工夫，即在這一年形成的。再者，安井息軒的平生知己塩谷宕陰也是在此時結識的。因此，可以說在松崎慊堂門下的一年是安井息軒之學術生涯極其重要的關鍵。文政十年（一八二七），安井息軒離開松崎慊堂之門返鄉。其後，將從松崎慊堂處所得的學問方法持續鑽研，累積其學問之功，而有大成。返鄉後，與其父滄洲創設飫肥藩藩校振德堂，教授故里子弟。由於學術成就卓著，聲名遠播，文久二年（一八六二），推舉爲幕府儒官，任命昌平黌教授。

綜觀安井息軒的學問，雖嘗入學昌平黌而修習朱子學，其學問性格則是依據漢唐古注疏而以訓詁學爲主。而最有特色的是唯善適從而無學派門戶的偏見。亦即安井息軒於中國經傳諸子史書的注釋時，無論是中土的漢唐注疏或宋明新注或清朝考證學，抑或本邦林家朱子學或伊藤仁齋、荻生徂徠的古學，凡是合於經典原義的皆擇而取之，以為考證訓詁的根據。換句話說，安井息軒所尊崇的是實證主義的學問。所著《書說摘要》《毛詩輯疏》《論語集說》《孟子定本》《左傳輯釋》《戰國策補正》《管子纂詁》等儒教經典和諸子史書的注釋，足為後世學者參究。

由於安井息軒的一生適值幕末維新的動亂期，對於海內外的政治、經濟、文化都有其深刻的見解。特別是分析國際情勢而主張「攘夷論」，批判日本國內一味崇洋的社會心態而提出「辨妄說」。綜觀安井息軒的論述，無論是「攘夷論」或「辨妄說」都是安井息軒抱持著以儒家傳統為主的秩序觀來對西洋的強權主義，以東洋倫理思想，即以人為本的思想來批判基督教信仰唯一上帝的虛妄。或許曾經入學昌平黌研究被德川幕府立為官學之朱子學，其後又招聘為幕府儒官，因此，安井息軒的思想的立場是保守漸進的，對於突破鎖國政策的西洋強權，乃提出攘夷思想。有關攘夷論的著述有《海防私議》《靖海問答》《料夷問答》《外寇問答》等海防論。而針對當時的局勢，所提出的意見書則有〈上明山公書〉。至於《北潛日抄》的日記，更是理解幕末維新之日本情勢的重要參考資料。

明治維新後，在全面崇洋的潮流中，安井息軒致力於文明起源之宗教思想的研究，而且也留意於對東洋思想與宗教有抵牾性的基督教教義。安井息軒研究《聖經》後，以為基督教的原罪論違反宗教救民淑世的基本精神。至於唯一神靈的信仰則是宗教以自我為是的偏狹。而萬民平等的主張，固然符合民主的精神，卻未必適應於重視上下尊卑之秩序的東洋社會。

乃作《辨妄》一書，對基督教展開激烈的批判。安井息軒之所以撰述《辨妄》一書，不但表現出一生奉行儒家精神之老宿儒的眞摯。也展現其儒家淑世濟民的胸懷。川田剛的〈息軒先生碑銘〉如是敘述著：

> 文久中，大將軍德川公妙選師儒。自其藩國擢而列昌平黌教官者三人，曰山形之塩谷毅侯，曰田中之芳野叔果，而其一則飫肥之安井先生也。先生齡最長，學最邃，議論文章，最醇且正。……先生篤信好古，鑽研經史，尤用力於漢唐注疏，參以衆說，能發先儒之所未發。爲文取法唐宋，上遡秦漢，古色蒼然。旁曉算數，嘗曰聖門六藝，數居其一。經國行軍，無不由此。近世學者高談性命，曾不解二五之爲十。沿流討源，宋儒不得辭其責。門人有問洋教之是非者，爲撰《辨妄》一卷。然至天文、地理、工技、算數，則參取洋說。可見其持論之公。性淡泊，儉素自奉，特嗜圍棋。……世尚新奇，我獨愛古，世趨浮華，我獨守素。卓哉先生，不愧儒行。講禮治經，追踪馬鄭。先生在則師嚴道尊，先生亡而孰興斯文。

「篤信好古，鑽研經史，尤用力於漢唐注疏，參以衆說，能發先儒之所未發」是安井息軒學問宗尚之所在。至於「性淡泊，儉素自奉，世尚新奇，我獨愛古，世趨浮華，我獨守素」，則確實能貼切地敘述安井息軒篤信儒家道德學問的性格特徵。

二、《論語集說》

《論語集說》一書並舉古注，則魏晉何晏《集解》、皇侃《義疏》等及朱子《集註》，又兼收清朝考據的考證與伊藤仁齋、荻生徂徠等江戶儒者的注釋，更旁徵經傳諸子史書的典故，以爲自身見解的根據而補充諸說的不足與脫誤。由於旁徵博引與適切的取捨、精當的見解，不但有最高的評價，也廣爲流傳。

明治四十二年（一九〇九）、服部宇之吉監修叢書《漢文大系》（富山房出版）時，將儒家中心經典的《四書》列爲第一卷。有關《四書》的注解，則收錄安井息軒的《論語集說》《孟子定本》《大學說》《中庸說》等論著。對於安井息軒的學問，服部宇之吉作如下的敘述。

> 先生篤信好古，尤用力於漢唐注疏，參以眾說，闡先儒未發之微者不少。……先生於《四書》亦本古注而兼取朱說。於清人考證之說等亦擇善而取之。……先生執公而好不阿，能取古今之長而捨其短，考據最力論斷最愼。

意謂安井息軒所貫徹的是無論古注或新注，唯善是取之公正持平的學問性格。又由於參採清朝考據學客觀實證的學問態度與江戶古學，即伊藤仁齋與荻生徂徠探究聖人述作眞義的精神，因此，考證極其精審，而且論斷也甚爲嚴謹。安井息軒之所以抱持此一學問精神，固然與其自身重視實證主義而正確地掌握經典原義之學術教養有極深的關連。至於服部宇之吉何以以安井息軒有關《四書》之注解，列爲《漢文大系》的卷首。其原因大抵有三。

一、對一代偉大學者的尊重。

以安井息軒爲幕末的大學者，其兼收古注與新注，並採近時清朝考據的方法與江戶古學派的學說，又在旁徵博引的基礎上，進行審愼的考校，提出嚴謹的見解，可謂是考證學的大成。即使以安井息軒爲集江戶時代學問之大成，也非過譽。

二、合於引進新方法之「學問意識」與發揚先哲學問之「本土意識」的編集主旨。

安井息軒的學問結合了清朝考據學的實證學問與江戶古義學、古文辭學的先哲學說。其實，引進行實證主義之新穎的學問方法的「學問意識」與闡發先哲學說的「本土學問意識」是服部宇之吉編集《漢文大系》的中心主旨。

三、合於時代需求之文化事業的商業性考量。

時代推移到了幕末維新的近代，學術風尚轉趨自由開放。寬政年間獨尊朱子學而禁制異學之一尊式的學術現象不再出現，唯有古義學或古文辭學，才能正確地把握聖人述作的原義，墨守一家之言已不合時宜。因此，安井息軒不拘學派學統而博引通說的注釋，不但具有時代性，也提供了豐富的資源。再者，馳騁於前人諸說之中，而作適切的取捨，詳細的解說，愼重的論斷之學問方法，確實能給學者一條研究的門徑。在漢學振興的時代，包含《論語集說》在內的第一次《漢文大系》甫一出版，即成爲暢銷書。❸

茲例舉《論語集說》的二三注解以敘述此書的內容，進而說明安井息軒的學問性格。子曰：「吾十有五而志於學，三十而立，四十而不惑，五十而知天命，六十而耳順，七十而從心所欲不踰矩。」（〈爲政篇〉）

（集解）鄭玄曰耳順、聞其言而知其微旨。……馬融曰矩、法也。從心所欲，無非法者。

（集疏）皇侃曰，順謂不逆也。人年六十識知廣博，凡厥萬事不待悉須覿見，但聞其言，即解微旨，是所聞不逆於耳，故曰耳順也。……焦循云耳順即舜之察邇言。所謂善與人同，樂取於人以爲善也。順者不違也，舍己從人，故言入於耳，隱其惡，揚其善，無所違也。學者自是其學，聞他人之言，多違於耳。聖人之一以貫之，故耳順也。謂知微旨。此在不惑知天命時已然，不待六十矣。……物茂卿云老後放縱，人之常也，孔子七十從心所欲，亦放縱耳，衹其不踰矩、所以爲聖人也。

（案）孔子謙讓自持，人有稱己者，遜不敢當。此章既老之後，自述十五至七十之事，必不炫燿其德，以示諸人。後儒解此章，率過高妙，恐非孔子之意也。如焦循之解，

❸ 有關《漢文大系》的內容，參照町田三郎先生〈服部宇之吉及其《漢文大系》〉（《日本幕末以來之漢學家及其著述》、頁一七七—頁一九九、文史哲出版社、一九九二年）。

乃其尤者。晚近學者益喜高妙之說，故特舉而正之，使後進知好高之弊，必至此云。

「集解」者乃是何晏的《論語集解》，「集疏」是集釋的性質，乃安井息軒徵引前人的注釋而爲注疏的。「案」則是安井息軒博採通說而陳述己見的所在。此處安井息軒以爲所謂「十有五而志於學，三十而立，四十而不惑，五十而知天命，六十而耳順，七十而從心所欲不踰矩。」乃是孔子自述爲學的進程，並非誇耀自身之所以成聖的所在。當時的學者陳義過高，不切實際，乃引述玄妙之極的焦循注，以諫後世學者。由此可見安井息軒的注釋乃以務實簡易可行爲要旨。

子曰：「參乎，吾道一以貫之。」曾子曰：「唯。」子出。門人問曰：「何謂也。」曾子曰：「夫子之道忠恕而已矣。」（〈里仁篇〉）

（集疏）皇侃曰，當是孔子往曾子處得曾子答，得竟後，而孔子出戶去。門人，曾子弟子也。忠謂盡中心也，恕謂忖我以度於人也。言孔子之道更無他法，故用忠恕之心以己測物，則萬物之理，皆可窮驗也。邢昺云，言夫子之道惟忠恕一理，以統添加萬事之理，更無他法。故云而已矣。

（案）夫子之道忠恕而已矣，本不待解，故孔鄭諸儒不注。後儒疑忠恕是二不可言一，且嫌其淺，謂孔子所云一者，必別有深意。於是朱晦庵以爲理，仁齋以爲誠，物徂徠以為仁。遂謂曾子難言一貫之義，姑舉行之之法，以告門人。然曾子明言忠恕，以示一貫之義。則所云一者即忠恕也。忠恕雖二，本是一類。盡己而忖人，同施於接物之間，故可合稱一。《中庸》曰忠恕違道不遠。子貢問一言而終身可行者，孔子曰其恕乎。孟子亦曰強恕而行，求仁莫近焉。聖賢貴忠恕如此，安得嫌其淺哉。且言理言誠言仁與言忠恕有何難易。而曾子捨夫子言一之義，姑舉其近似者，以告門人，恐又非聖賢相教誨之道也。

安井息軒忠實於《論語》的文義，以爲曾子所謂的「忠恕」即體得了孔子思想的旨趣，故從古注而批評後儒之說。以爲孔子之道即道「忠恕」，「忠恕」之義即如皇侃、邢昺所說的爲「盡己而忖人，同施於接物之間」，是一而非二，故不採朱子、伊藤仁齋、荻生徂徠等之說。

互鄉難與言。童子見，門人惑。子曰：「與其進也，不與其退也。唯何甚。人絜己以進，與其絜也，不保其往也。」（〈述而篇〉）

（集疏）皇侃云，往謂已過之行，言既絜己，而猶進之。是與其絜也，而誰保其往日之所行邪。何須惡之也。顧歡曰，往謂前日之行也。鄭注云，去後之行，亦謂今日之前，是已去之後也。伊藤源佐云，聖人待物之仁，猶天地之造化萬物，生者自生，殺者自殺，而生物之心自無息於其間，何其大哉。孟子曰往者不追，來者不拒，苟以是心至，斯受之而已矣。可謂能發夫子之道，而詔之萬世者也。物茂卿云，邢疏、朱注皆以往爲前日之義，而保字不可解矣。
（案）以往爲前日，始於顧歡，而皇邢從之。皇又誣鄭注爲亦謂今日之前，然鄭明言往猶去也，亦何能保其去後之行。其謂童子見孔子既去後之行甚明。夫保任也，保任可以言後，不可以言前，如未見以前之行，雖聖人安能保任之，不言可知矣。此章之義，仁齋先生引孟子證明之，得之。孔注一何甚也，皇本作何一甚也。一字解唯字，何一誤倒，今從邢本。鄭注當與其進之，邢本作當與之進。案舊本作當與其進，皇本衍之字耳。

安井息軒從邢本作「唯何甚」，又從舊本作「當與其進」，則是考察《論語》的文義而作的判斷。至於絜己保往的解釋則權衡孔子教學的精神以爲孟子「往昔不追，來者不拒」的意義頗能闡發孔子的旨趣，伊藤仁齋引述《孟子》的解釋來理解孔子此言的意義則是正確的。此可見安井息軒唯善是取的詮釋精神。

子張問，十世可知也。子曰殷因於夏禮，所損益可知也，周因於殷禮所損益可知也，其繼周者，雖百世亦可知也。（〈爲政篇〉）

（集解）馬融曰，物類相召，世數相生，其變有常，故可預知。
（集疏）皇侃云，從今以後，假令或有繼周而王者，王王相承，至於百世，亦可逆知也。……邢昺云，白虎通云三綱者何，謂君臣父子夫婦也。君爲臣綱，父爲子綱，夫爲妻綱。大者爲綱，小者爲紀，所以張理上下，整齊人道也。物茂卿云，父子相受爲一世，孔子之意蓋謂王者受命，制作禮樂，非預知數百年之後，不能爲，是可前知之證也。殷因夏禮，周因殷禮，故知有雖萬世不異今日，殷損益夏禮，其損益者，在夏代可前知，周損益殷禮，其損益者，在殷代可前知，是三代聖人建一代之法，使數百年之人守之，則其前知數百年後者審矣，若有聖人繼周而興，則今之所前知，何翅十世乎，雖百世者，謂其不止十世也。

（案）春秋之末，天下大亂，子張才大，有意於制作一代之禮法，謂制禮法以爲維持後世者，非預知十世之後不能。故欲知其所宜沿革，而周室尚存，難於發言，故問十世可知也。孔子知其意，故以殷周所損益答之。凡孔門諸子，無不切之問，其或有之，孔子不爲置對，故子路問事鬼神，得未能事人之誚，樊遲請學稼，遇我不如老農之譏。若子張徒欲知十代後之情狀，其爲不切之問大矣，宜在所不答，而孔子告之，詳悉無遺，且繼周者，一代而已矣，而承之云雖百代可知也，於文爲不詞，於事爲不切。故知爲制作發也。自皇侃以世爲代，後儒皆襲其謬，獨物氏生於二千載之後，排諸說而復之孔門之舊，其功偉大矣。

安井息軒以爲孔子是合理主義的先驅，應答弟子時人的問題，皆以實際切要爲前提。子張問十世可否知悉，推其旨意非在預知後世的演變而在禮法制度的制作旨趣。因此孔子以斯文所在的夏、殷、周三代相承的禮樂沿革回答之。然而皇侃以下諸儒皆不得此旨；唯荻生徂徠以孔門宗旨在於禮樂的制作，確實能掌握孔子以重建周文為終身職志的理念，故推崇徂徠的訓解有闡發孔子微旨之功。安井息軒折衷諸說，適切取捨的立場，於此可見。

宰我問曰：「仁者雖告之曰井有仁焉，其從之也。」子曰：「何為其然也。君子可逝也，不可陷也，可欺也，不可罔也。」（〈雍也篇〉）

（集疏）翟灝云，《義疏》本作井有仁者焉。《疏》曰有人告仁者曰彼處有仁者墮井，而仁者當自投入井救取之邪。或問曰仁人救物，一切無偏，何不但云井中有人，而必云有仁者邪。答曰仁者能好人，能惡人，其雖惻隱濟物，若聞惡人墮井，亦不往也。案皇氏疏若迂僻，而孔注已云，有仁者墮井，則古本仁下當有者字。物茂卿云，宰我井仁之問，慮孔子陷禍，而以微言諷之也。古注新注其義甚淺無味，宰我之智，豈不知之。仁者暗指孔子也。井有仁焉，假設之言，蓋言險難之中，有可為仁之事也。……皇侃云，君子不逆詐，故可以暗昧欺大德，居正，故不可以非道罔也。物茂卿云，可逝也，不可陷也者，據井有仁言之，可欺也不可罔也者，言其所以然之故也。此以安宰我之心也。

（案）曰有仁焉，曰其從之也，即仁下無者字。謂井中有仁君往而從之明甚，況據孔《注》皇《疏》，仁下有者字，當定為井中有仁君矣。徂徠以此章為宰我慮孔子陷於

> 禍而微諷之，又以井爲喻險難，皆是。但以有仁爲有可爲仁之事，則失之。蓋聖人所爲，雖賢者有不能測者焉，所以孔子欲赴於佛肸、公山弗擾之召，子路不悅，宰我蓋亦見有是類之事也。是以有此問。子路性剛，故直諫之，宰我在言語之科，故其言婉而成章，其所以忠於孔子一也。《集注》云，仁者雖切於救人，而不私其身，不應如此之愚。是以宰我爲愚也。然觀於孔子答語，丁寧詳悉，無少貶詞。而編輯者又字而不名，則孔子未嘗以宰我之問爲愚也。

安井息軒根據文章之上下文義，以爲井中有仁善之人，故從古注以爲「井有仁焉」當作爲「井有仁者焉」。至於宰我設問的用心，則從荻生徂徠的解釋，以爲宰我體貼孔子的立場，唯恐孔子陷入進退兩難的困境，故以井爲喻而微諷，孔子亦或理會宰我的用心，因此丁寧詳細的答問，了無貶抑之意。又宰我善於表達，故列於言語之科，絕非愚昧之類。是故朱子的注釋未必爲是。

在此章的案語中，特別值得注意的是「編輯者又字而不名，則孔子未嘗以宰我之問爲愚也」的文字。意謂《論語》的編輯者，亦有模倣《春秋》微言大義的所在。至於《論語》一書的編輯旨趣爲何，安井息軒說：

> 詳味孔注，讀自爲自己之自，言奉持禮節，自行束脩以上之人，則皆教誨之，聖人善誘，能盡人之才，然人不自脩，則無受教之地，誨之不但無益，反受煩黷之謗，故不

誨也。意正與鄭注同，憤悱自厲之甚，此束脩有加焉。故總輯者以下章次之，其意可見矣。（〈述而篇〉「子曰，自行束脩以上者，吾未嘗無誨焉」章的案語）

即以爲《論語》一書的篇章次第有前後連屬的關係，這是《論語》編集者的旨趣所在。諸如此類的論述隨處可見❹。如：

凡一部《論語》、次篇第章，皆有微意，學者詳之。（〈述而篇〉「子曰：述而不作，信而好古，竊比我於老彭」章的案語）

舜、禹有天下而不與，以堯功德如此，故以此章次前章。乃編輯者之微意也。（〈泰伯篇〉「子曰：大哉、堯之爲君也」章的案語）

置此章於此篇之終者，孔子至於是邦，必聞其政。是當時之君非不思之，而終不能用之，與此章之意實相類，故次之上章，以明孔子不能降二帝三王之澤者，因世主無深思而用之者，以終此篇。與〈鄉黨篇〉未載山梁雌雉章同，乃編輯者之微意也。（〈子罕篇〉「唐棣之華，偏其反而，豈而爾思，室是遠而」章的案語）

---

❹ 町田三郎先生在所著〈安井息軒《論語集説》について〉（東方學會創立五十周年記念《東方學論集》、頁一〇七九—頁一〇九二、一九九七年）一文中指出：注意文章的脈絡，以爲《論語》的編輯具有微言大義是，安井息軒《論語集説》一書的特色。

> 孔子處亂世，終身遑遑，不暇寧居，雉之色舉翔集，有深契於去就進退之意。故見之歎曰山梁雌雉，深得去就之時哉。……編輯者知微意所在，因載之篇末，以終上論、遙與開卷人不知而不慍，不亦君子乎相應，其旨深矣。（〈鄉黨篇〉「色斯舉矣、翔而後集」章的案語）

蓋安井息軒以爲《論語》的編者有微意或詳知孔子的微意而次第《論語》的篇章順序。而其在〈鄉黨篇〉篇末的案語中，又值得注意的是「以終上論」的文字。即安井息軒祖述伊藤仁齋與荻生徂徠的主張，以爲《論語》一書可分爲上論與下論。安井息軒更進一步地說：

> 以此篇次於子路，例與上論同。……物茂卿謂下論成於原思，不知《論語》成於衆門人論定，篇次章第，有一定之法，無一人記一篇之理，況於全記下論乎。（〈憲問篇〉解題）

即《論語》成於門人弟子之手，亦即意謂《論語》是孔門一派學問的結晶。至於《論語》條理分明而有「一定之法」的旨趣，安井息軒在〈堯曰篇〉「孔子曰不知命、無以爲君子也」章，即《論語》最後一章的集疏中，引述荻生徂徠的「上論首學與知命、而下論又以此終之、是編輯者之意也」注解，清楚地陳述《論語》全篇前後連屬貫通的宗旨說：「以此章繼子張章、以終開卷人不知而不慍、不亦君子乎之意、其義旨周備、圓轉無窮、實如車之輪。」

列舉並引證《論語》歷來主要的注釋，再參以己說，是《論語集說》之所以自幕末、明治以至於今日，被公認爲研究《論語》所不可不參考的重要著作之所在。至於安井息軒的《論語集說》於日本《論語》注釋史上，到底有何學術意義，又有何歷史性的地位。茲列舉伊藤仁齋、荻生徂徠、龜井南冥等人的《論語》注解說明如下。

伊藤仁齋，京都堀川人。初學朱子學，至中年對程朱理學抱持疑問，終提倡古義學，樹立一家之學派。伊藤仁齋尊重《論語》，以《論語》爲「最上至極宇宙第一書」，（《論語古義·總論》）以《孟子》爲萬世啓孔門之關鑰」（《孟子古義·總論》）。故主張以《孟子》理解孔子眞義而撰述《論語古義》十卷。又探究《論語》《孟子》語彙的意義而作《語孟字義》二卷。有關《論語》一書的考證，伊藤仁齋以爲《論語》可分爲上論十篇和下論十篇兩部分。先有上論十篇的編集，而後爲補足上論的內容，再收集孔子與門下弟子的問答而成下論十篇。伊藤仁齋說：

> 《論語》二十篇相傳分上下，猶後世所謂正續集之類乎。蓋編《論語》者，先錄前十篇，自相傳習，而又次後十篇，以補所遺者。故今合爲二十篇云。何以言之。蓋觀《鄉黨》一篇，要當在第二十篇，而今嵌在中間，則知前十篇既自爲成書。且詳其書，若曾點言志、子路問正名、季氏伐顓臾諸章、一段甚長。及六言六蔽，君子有九思三戒，益者三友，損者三友等語，皆前十篇所無者。其議論體裁亦自不與前相似。故知

後十篇乃補前所遺者也。（《論語古義・總論》）

以〈鄉黨篇〉的內容異於《論語》的其他諸篇，宜置於全書的末尾，今本《論語》排列於第十篇，可知《論語》經過兩次的編集，以〈鄉黨篇〉爲分界，包含〈鄉黨篇〉在內的前十篇爲第一次的編集，後十篇則猶如補遺的形式，是補充前十篇之不足而編集完成的。再者，從文章體例而言，前十篇大抵爲語錄問答式的文體，而後十篇則有如「曾點言志」「子路問正名」「季氏伐顓臾」等長編議論的文章。又是《論語》一書可分爲前後各十篇的根據所在。

伊藤仁齋的年代適值中國清朝初期。亦即清朝考據學之開拓者顧炎武與閻若璩即將嶄露頭角的時期。伊藤仁齋未必理解清代重視文獻考證的新的研究動向，而能用文章體例與篇章內容之異同的考據方法，於細密地考察的基礎上，斷定《論語》成書的情形。又從語彙字義的正確解析，以掌握《論語》《孟子》的眞義，準確地闡述孔孟思想內涵。確實與戴震的《孟子字義疏證》有異曲同工之妙。❺

荻生徂徠，江戶人。和伊藤仁齋相同，也是先奉行朱子學，然後對朱子學產生疑問，最後持獨自的見解，提倡古文辭學。荻生徂徠雖然接受李攀龍、王世貞的「古文辭學」，主張實際從事漢詩文寫作以理解古文辭的律則，掌握古文辭的眞義。但是，荻生徂徠的「古文辭學」並非僅止於詩文的創作，更重要的是其進而提出以古文辭探究聖人之道的眞義所在。

---

❺ 有關伊藤仁齋《論語古義》的論述，參照本書〈伊藤仁齋：開啓日本考證學的先聲〉一文。

荻生徂徠以爲中國古典的眞髓在於先王聖人之道，即《六經》與《論語》。而《六經》與《論語》所含藏的先王聖人之道的眞義，乃在於「物」而不在於「理」，進而指出《六經》與《論語》的要旨，是在重視政治施爲的提倡。荻生徂徠所說的「物」乃是事實，其在所著在《辨名》一書中指出「物者教之條件」，即物乃是教育標準的事實。先王所設定的《詩》《書》《禮》《樂》皆非空泛的議論而是作爲政教的標準。《詩》是民衆與宮廷歌謠，《書》是政治的言語，《禮》是各項儀式，《樂》是雅樂的演奏。換句話說，「詩、書、禮、樂」是構成先王之道的四個要素，即政治法則的「四術」。（見《辨名》）

荻生徂徠著《論語徵》十卷。其解釋《論語》的方法，是逐一探究《論語》的字義，而印證於先秦古書的用字例。換句話說，是用言語學的方法歸納與《論語》同時期諸典籍的遣詞造句的法則，爲求正確地掌握古典的原義。結果，荻生徂徠指出：朱子用以解釋《論語》之「道」的「天理」或「理」的用字例，於孔子的時代並未出現。因此，荻生徂徠以爲《論語》通篇的主旨在於「道」，即「先王之道」，亦即「安民之道」。而「學」則是學此「安民」的「先王之道」。故「道」是「先王之所造」，乃以禮樂爲基礎而制定的人倫準則與社會規範，而非所謂「事物當然之理」或「天地自然之道」的形而上之道。這是荻生徂徠所強調的。換句話說，《論語》一書是政治施爲的重要依據。

荻生徂徠的《論語徵》出版後，即傳入中土。清末劉寶楠的《論語正義》也有引用，書中的「物茂卿（徂徠）《論語徵》云」即是。劉寶楠《論語正義》於「子張問明」（〈顏淵篇〉）

之「明」的解說，並未明言是荻生徂徠的意見。但是，無論古注或新注都將「明」解釋為洞察力。荻生徂徠則解為「為人上之德」，即「人君之明」，而謂此即為「古之明」。劉寶楠的解釋是「明者，任用賢人能不疑也」，即解釋為政治上的「明」。此一解釋或許得自於荻生徂徠的啓發。❻

伊藤仁齋之古義學派和荻生徂徠之古文辭學派流行於元祿（一六八八—一七〇三）至享保（一七一六—一七三四）的五、六十年間。此時正是日本儒學界最為昌盛高揚的時期。不但學術風氣鼎盛，人材也奮臂其間。然則，儒學的高潮過了享保以後，其發展也有了停滯不前的現象。唯一能鷄鳴於風雨的是偏處於九州福岡的龜井南冥（一七四三—一八一四）、龜井昭陽（一七七三—一八三六）父子。一般以為龜井南冥長於詩文，而龜井昭陽致力於經學的研究。其實父子二人的學問根基乃在於《論語》。

南冥父子活躍於德川時代的中末期。此一時期特別值得一提的「寬政異學」禁令的施行。德川幕府禁制除了朱子學以外的學問，特別是荻生徂徠的古文辭學派的學問。龜井南冥的學問乃承繼荻生徂徠學派的系統，並適當地取捨歷來諸家的學說而成一家之言，在九州地區形成極大的學術勢力，再加上是時黑田藩（福岡）的內部發生論爭，以龜井南冥為中心的藩校「甘棠館」遭到閉館，龜井南冥的教授的職位也被革除。結果，龜井南冥鬱鬱而終，原為副

❻ 有關狄生徂徠對於《論語》的見解，參照本書〈伊藤仁齋：開啓日本考證學的先聲〉一文。

教授的龜井昭陽也被貶爲下級武士。同時，龜井南冥、昭陽父子的所有著述自然也被列爲禁書，僅門下弟子及部分仰慕者間相授受而已。❼

龜井南冥的主要著作是《論語語由》二十卷，乃其經歷三十餘年的歲月而完成的。此書完成於寬政五年（一七九二），龜井南冥五十一歲時。但是刊行則在十多年以後的文化三年（一八〇六）。而且並不是在福岡的黑田藩，是在獲得秋月藩主黑田長舒的賞識而印行於世的。❽黑田長舒在《論語語由》的序文指出，在所有的《論語》注釋書中，「持論高古，名義精實，施之經世之用，左右逢其原者，唯《徵》之與《語由》有是哉」。即以荻生徂徠的《論語徵》與龜井南冥的《論語語由》是江戶時代注釋《論語》的代表作。因爲《論語語由》繼承徂徠《論語徵》的主張，而別出新裁。龜井南冥《論語語由》的論述主旨乃在於道德的實踐與經世的實用，亦即近者行之於身，遠者「施之經世」。

《論語語由》之所以有新見，可由「語由」二字窺知。所謂「語由」，乃探尋孔子述作立說的因由。換句話說，龜井南冥以爲唯有以孔子及其門下弟子的語言，才能正確地解釋《論語》的眞義。即使孟子也未必能窺伺孔門的堂奧。至於歷來的《論語》注釋書雖然有數十百家，大抵皆爲後儒恣意的歪曲聖賢的原意，未必能眞確地描繪的孔門圖像，敘述孔子及

❼ 有關龜井南冥、昭陽父子的事跡，參照本書〈龜井昭陽：建立日本考證學的考證方法〉一文。

❽ 《龜井南冥・昭陽全集》（葦書房、一九七八年）卷一所收。

門人的行誼。至於如何恢復《論語》的原貌，探究孔子的原義。龜井南冥以爲第一在於排除宋儒及伊藤仁齋所主張而幾乎成爲定型化的「孔孟合體論」。龜井南冥說：

愚按後人說《論語》者，莫弗原於《孟子》也，其既原於《孟子》，《論語》非復孔門之舊，胡以《論語》爲。（《論語語由》卷一）

第二「語由」，即正確把握《論語》語彙的原義，不作空泛理論的引伸。亦即回歸到《論語》的時代，考察當時所使用之言語的意義。龜井南冥說：

聖人善誘之語，辟諸春風吹物，物無大小，燦燦光澤，各遂其生，而融混無迹，所以不易窺也，讀者詳旃，故讀《論語》者，要先禮其人與事物而知其語之所由出焉爾。（《論語語由》卷三）

第三從「人的」觀點，具體的解析《論語》中孔子的「人的」形象。因爲孔子是活生生的人，而且孔子所強調的無非是用諸身、行於世的人倫社會的思想哲學。因此，一味地將孔子的言語作形而上的深化闡述，甚至於將孔子神格化，到底是否符合孔子的原義，則未可知。茲舉龜井昭陽《論語語由述志》的一節，說明龜井南冥的主張。

爲仁由己、而由人乎哉。（〈顏淵篇〉）

（何晏）孔安國曰，行善在己，不在人世。

（朱子）蓋心之全德，莫非天理，而亦不能不壞於人欲，故爲仁者，必有以勝私欲而復於禮，則事皆天理而本心之德，復全於我矣。……愚按：此章問答，乃傳授心法切要之言。

（徂徠）言雖行仁於彼，而行之在己，故不修身不可以行仁也。

（南冥）爲仁猶曰行仁，與上爲仁別意，仁是顏淵所固有，取其所固有，而施行之，無所假於人也。

（昭陽）此章先考不出，終古晦晦也已，卓哉高明，學者所宜瞻仰也。朱子注曰傳授心法，曰天理人欲，皆孔門所無，一夫私言耳。（《論語語由》）

雖然相對於荻生徂徠以仁是對他性的作用，龜井南冥則主張仁是人本有內在的存在。雖然如此，龜井南冥所說的內在性的「仁」，並非程朱所謂的「天理人欲」之說，亦非只是內修其身而已，而是「主忠信以爲教，唯此三字，終身用之而有餘」❾，即用以處事接物而躬親實踐的道德。

❾ 見《家學小言》（《龜井南冥・昭陽全集》卷八、葦書房、一九七八年）第三十二章。宋儒以「主敬」爲聖人之道，龜井昭陽以「主忠信」爲孔子思想的第一義，故立之爲龜井一門最重要的立身準則。

安井息軒《論語集說》在字句訓詁上，並採魏晉古注與兩宋新注，又兼收清朝考據與本邦儒者的學說，再旁徵經傳子史以爲自身見解的根據。探究《論語集說》的著述用心，其以朱子的《論語集註》爲底本，這是德川幕府官員以朱子學爲傳統的尊重。至於魏晉何晏等人注釋的引述，則是師承淵源的承繼。而以乾嘉考證學作爲考證校勘的根據，乃是新的學問方法的運用。引述本邦前賢儒者的見解用以論述孔子思想，則是安井息軒撰述《論語集說》眞正用心的所在。換句話說安井息軒《論語集說》是江戶時代古學派研究《論語》的總結，集伊藤仁齋、荻生徂徠以至龜井南冥研究《論語》的大成。而探究安井息軒《論語集說》的論述，此書的特色有以下三點：

一、不墨守林家朱子學的傳統。即不從性理等抽象性形而上的概念對《論語》作義理的闡述。

二、探究《論語》語彙，即歸納先秦古籍的用字例，探究孔子言語的眞義。

三、孔子思想的主旨在於立身行世，立身的終極在於成爲人，行世的理想在於政治施爲。

三、《管子纂詁》

「倉廩實而知禮節、衣食足而知榮辱」見於《管子》的〈牧民篇〉，也見載於《史記》，是爲人所熟知的文句。可見《管子》「經言」類的記載在秦漢的時代，即廣爲流傳。不過，雖然宋代張嵲的《管子文評》極其重視，強調：「管子，天下奇文也。〈心術〉〈白心上·下〉〈內業〉諸篇，是其功業所本。」但是，實際上，宋代以後即認爲《管子》是雜家之書而缺乏深湛細密的研究。因此，《管子》一書的錯簡不少，艱深難解的所在也甚多。

安井息軒就前人有限的注釋，參考其注釋和文字考證，進而徵引經傳子史的記載，對《管子》全書進行考校補正和訓詁。完成《管子纂詁》二十四卷，於元治元年（一八六四）二月刊行。

安井息軒之所以留意《管子》，乃在《管子纂詁》刊行的前二十年，即弘化年間答問藩主的質疑，並講授《管子》的時候。塩谷宕陰於《管子纂詁》的序文中指出：「其（安井息軒）於諸子，最好《管子》。」除了問答講授之外，何以安井息軒會注意從來不被重視的雜家之書。安井息軒在《管子纂詁》自序中敘述說：「史遷亦稱，其論卑而易行，善因禍而爲福，轉敗而爲功，驗之其書，其所言，即其所行也。方今洋夷猖獗，海內多事，擇其法而施之，必有能因禍而爲福矣」。又〈與堀士遜書〉也提到：「《管子》云，衆人之言，別聽則愚，合聽則聖，衡近者察之情形，益信夷吾之不我欺也」⑩。即在幕末，各藩的財政困頓，又受到西洋文明衝擊而舉世騷動的情勢下，與其迷信朱子學者形而上之空泛的高談闊論，不如著眼於實用的先秦諸子之書，或許能探索出起弊振衰，改革藩府財政的對策。安井息軒以

⑩《息軒遺稿》卷二所收。

爲《管子》有國富民安的經濟理論，因而潛心於《管子》的研究。期以爲詳細的訓詁解釋，使《管子》成爲易讀之書，進而從中取得濟民富國的方針。

安井息軒注釋《管子》一書時頗參採猪飼敬所的《管子補正》。因此《管子纂詁》隨處可見對猪飼敬所（彥博）《管子補正》的引述。如〈宙合〉篇首的部分。

> 其處大不究，其人小也不塞。
>
> 猪飼彥博云，究當作窕，細也，衡謂，成法既多，大小各從其宜而用之。故不窕不塞。
>
> 適善備也僊也是以無乏。
>
> 尹知章云，僊、輕順貌。猪飼彥博云，僊當作僎，具也。衡謂，所以適善者，其法備具，是以無所乏闕也。
>
> 故曰欲而無謀。
>
> 猪飼彥博云，故曰二字衍。衡謂，此舉目，不當有故曰二字，與下相涉而衍耳。

猪飼敬所的《管子補正》刊行於寬政十年（一七八九）。不但安井息軒對此書甚爲推崇，郭沫若在所著《管子集校》的序文中，對此書的評價極高。只是猪飼敬所《管子補正》的篇幅太短，用以通解《管子》全書是不可能的。如明趙用賢認爲「錯雜而不可讀」的〈侈靡篇〉，由於安井息軒《管子纂詁》的補闕糾謬，精審嚴謹的訓詁考證，全篇的旨趣乃能前後通貫。諸如此類，亦見於其他篇章。因此，安井息軒的《管子纂詁》是研究《管子》所不可缺的注本。

有關《管子纂詁》的著述體例與完成經過，根據《管子纂詁》的〈自序〉與〈凡例〉即可得悉。《管子纂詁》的自序寫於元治元年（一八六四），主要是敘述安井息軒自身對於《管子》的見解，至於何以刊行問世，乃得力於伊豫（今愛媛縣）三浦五輔的協力。又在〈凡例〉中指出：於文字篇章的校勘上，乃通過昌平黌所藏的元版與通稱古本之明趙用賢本的比較校訂而成的。但是，安井息軒本人對於初版的《管子纂詁》並非十分滿意。其在慶應二年（一八六六）的〈纂詁考譌小引〉中提到：

> 初三浦五輔之刻《管子纂詁》也，予適遷塙邑令。……欲悉其弊所由以振興之，多方探索，事頗煩碎，以故寫對刻校，專委門生。刻既成，而予免官矣，有來質疑者，就而考之，誤脱居半，又有前考未盡者，乃命諸子精對，其解未盡者，又隨見補正，作《管子纂詁考譌》焉。

即初刊的元治本《管子纂詁》由於自身雜務繁忙，以至有魯魚之誤者甚多。其後，於明治三年（一八七〇）改訂初刊本，詳細考證以修正舊注的缺失。如〈揆度篇〉的「以雙武之皮」，舊注爲：

> 尹知章以武爲虎，蓋北魏避諱，改虎爲武，此未訂耳，言諸侯之子將仕者，以雙虎皮

爲贅。

於改訂版則作如下的補充說明：

> 武謂虎，唐高祖之名虎，唐人避諱以武字易之。此未訂，前注姑以意書之，既而吏務多端，不暇考正，遂取笑於大方，此亦其一。

即「以雙武之皮」之「以武爲虎」，並非北魏時因避諱而改變正文，乃是唐代爲避諱唐高祖之名，因而改虎爲武。

元治本《管子纂詁》刊行時，雖然安井息軒身爲昌平黌儒官，即幕府的教授，爲國內學界的泰斗，聲聞天下。但是安井息軒以爲中國學的根源所在還是在中國。因此，於慶應二年（一八六六），請託留學英國途經中國的中村敬宇將《管子纂詁》帶到中國，請清朝的學者撰寫序文。當船停泊上海，等待轉往歐洲的船班時，中村敬宇得到當時擔任江蘇治安關稅關係司的應寶時承諾。於同治六年，即慶應三年（一八六七），應寶時將《管子纂詁》的序文託幕府特派駐在上海使節名倉松窗返國之際轉交安井息軒。

應寶時的序文凡一千八百多字，除了敘述自身對《管子》的見解與平生研究《管子》時所產生難解和疑問之外，雖然對安井息軒的考證訓詁有所質疑，大抵對安井息軒的注釋之功，贊賞有加。應寶時的序文說：

> 今得仲平之註，爲之訓釋其義，糾正其失，令數千年牴牾譌誤之書，一旦昭若發曚，如金砂珠玉之藏于深山大澤中，盡入于賈人之手，以應世之求者，甚哉仲平之有功于此書也。……

此序文經過三年的時間，即於明治三年（一八七〇）正月，才由名倉松窗轉交給安井息軒。安井息軒獲得應寶時的序文時內心萬分欣喜。即使自身有當時日本代表學者的自負，但是能得到中國本口學者的贈序與稱贊，則表示自身的研究成果畢竟能得到中日學界的肯定。於此年秋十月、安井息軒於《管子纂詁》改訂版的序文指出：

> 豫人之刻《管子纂詁》也，竊謂粗能窺其一斑矣。既而閱之，謬見未除，脫誤又多，嘗一訂其字矣，而未暇正其說，耿耿於心者七年。庚午正月，清人應寶時《纂詁》之序傳自上海，過蒙稱譽，赧然自慚。……乃排百冗而再考之，正其謬妄，補其不足，一百一十有四。訂誤脫，四十有四。應〈序〉所論，取其是而駁其非，又十有八。凡得一百七十有五條。合之考譌，以付《纂詁》。予考正之力，盡於此矣。……

即於欣喜之餘，誠實地面對應寶時的指正，並對初版的缺誤，傾注全力於謬妄訂誤。以爲自身於《管子》的考證蓋盡於此。時年七十二歲。

應寶時的序文指出，古人對於《管子》一書即以爲文字錯雜譌誤之處甚多。時人王念孫

《讀書雜志》的考證校訂雖然極其詳盡，但是王念孫《讀書雜志》遺漏而未考校的所在依然不少。就以〈侈靡篇〉而言，即有甚多衍文誤謬而王氏《讀書雜志》未指出的。這些衍誤「嘗舉以質問學生尹氏鋆憲、再三商榷、似無以易之」。即與友人再三斟酌，確信有關〈侈靡篇〉的考訂並無缺失。問題是應寶時於〈侈靡篇〉所作的考證，與俞曲園《諸子平議》卷三〈管子〉之〈侈靡篇〉的內容，幾乎完全一致。根據郭沫若考證的結果，即郭沫若於所作《管子集校》的敘錄中，斷定說：應寶時是盜用俞曲園的論說，並非應寶時本人所作⓫。換句話說，應寶時於〈侈靡篇〉所下的工夫，其實就是俞曲園的考證。對於「應寶時序文＝俞曲園考證」，安井息軒又有精審的考證以為回應。茲列舉安井息軒於〈侈靡篇〉的一二考證於下。

（甲）「死即易云」　補應寶時云，云字疑訓為親。襄二十九年《左氏傳》，晉不鄰矣，其誰云之，此亦其證矣。衡案：詩曰，婚姻孔云，毛傳云，旋也，旋即周旋，猶後世言追逐，其義為親矣。

（乙）「有時而星」　補應寶時云，星字宜訓晴。《史記・天官書》，星者金之散氣。衡案：此言所祭隨世而異，古未聞有祭晴者焉。案〈水地篇〉曰，東方曰星，蓋星生也，謂

⓫ 有關應寶時《管子纂詁》的序，詳見町田三郎先生〈安井息軒覺書〉（《東方學》七二輯、頁一一—頁一一六、一九八七年）。

祭五穀之生，與下祭炊相應，似是。

（丙）「故君臣掌」　補應寶時云，掌字疑黨之誤。祭禮有賓主，故有賓黨主黨，天子諸侯之祭亦然，故曰君臣黨。衡案：此論上賢無益，若改掌爲黨，解爲主黨賓黨，未見上賢之意。祭固有賓黨主黨，未聞稱君黨臣黨，且稱賓主，爲君臣黨，近不詞，恐未是。

安井息軒對「應序＝俞說」作了贊同與否的判斷與說明。然則，到底安井息軒於文字考證的判斷基準爲何。其一，中國古典中是否有相同的用字例。如（甲）「應序＝俞說」引用《左傳》的用字例以爲考證的根據。安井息軒與「應序＝俞說」是持相同的見解，唯安井息軒則再引證《詩・毛傳》，以補充說明。其二，與歷史事實是否一致。如（乙）和（丙）之例即是。就上述的例證而言，安井息軒《管子纂詁》一書的特色有以下三點：

一、根據昌平黌所藏的元刊本與明趙用賢本進行《管子》的校訂工作。

二、旁徵博引先人的研究成果，特別是猪飼敬所的見解，進行作適當的取捨，精密的考證訓詁，以明確地注解《管子》全書。

三、把握全篇文章的大意，適切地疏解各篇的旨趣。

四、結　語

幕府末年入學位於江戶的安井息軒的「三計塾」的谷干城，對安井息軒的學問性格作如下的敘述：

蓋先生之講經也，務以得經文之意爲主，惡以己之議論附會經文。如朱子之經解，已以程朱一己之見識，疏解經文，則其徒往往有信註而輕經之弊。然生徒之活用智力，立古人未言之説，則大賞贊之。……博引廣證，明瞭示解，則弟子皆競極己之智力，又敢安於古人之糟粕哉。間有吐古人未發之説者。先生以爲或人之説，加之於經解。《周禮》《管子》之書，往往有揭書生之説。如當時之諸家，不問古説之是非而雷同之，又如惡議論師説之狹隘者不絕。雖先生之講義，其意不充之處，反覆質疑，以有啓吾者，極爲喜悦。⓬

則以安井息軒的治學態度，乃以博引廣證爲依歸，而不喜妄以己意附會經傳。換句話說，安井息軒的學問性格是實證性的古典文獻主義。至於安井息軒的教育主旨，則以諄諄善誘的啓發式教學爲目標。因此，如谷干城的敘述，安井息軒「三計塾」的教學，乃以在古典證據之基礎上，自由討論而無墨守古人陳說或師門家學爲依歸。以故，不但弟子頗受到啓發，由於自由學風的崇尙，「三計塾」中既有擁幕派的保守分子，也有尊王派的激進分子。

關於安井息軒的學問，最能簡明而如實的評論的是服部宇之吉。服部宇之吉說：

⓬〈隈山詒謀錄〉（《谷干城遺稿》上所收、原文爲日文）。

清儒考證精確，雖能發古人之未看破者，又往往不免有詳於文而忽於義之弊。先生執公而好不阿，能取古今之長而捨其短。考據最力論斷最慎。⑬

意謂擇善固執而精審考證、謹慎論議是安井息軒終身所貫徹的學問態度。

---

⑬〈四書解題〉（《漢文大系》卷一所收，原文爲日文、《漢文大系》、富山房、一九八〇年）。

第五章　安井小太郎：整理日本考證學的成果
——就安井小太郎的《日本儒學史》而言——

一、生平傳略

安井小太郎，安政五年（一八五八）生，日向（宮崎縣）人。名小太郎，字朝康，號朴堂。爲幕末昌平黌教授安井息軒的外孫。父中井貞太郎，肥前島原有馬村人，爲幕末維新的志士。文久二年（一八六二）五月，遭幕府逮捕，翌年死於獄中。

安井小太郎於八歲以前住在江戶的安井息軒的家。根據安井小太郎「喜壽自序」❶所述，在清武村的前四年，早晨記誦《孝經》一小時，然後協助田園的工作，晚間再復習當日所讀的《孝經》。四年間讀完《孝經》一冊。明治二年（一八六九）春，十二歲時，寄宿於城下的學校。在學的二年間，

❶ 收載於《斯文》第十七編第一號、頁五—頁七。《斯文》爲斯文會出版的雜誌，是研究近世日本漢學的重要參考資料。

誦讀了《論語》《孟子》。明治四年（一八七一），至東京，入安井息軒的三計塾。自稱「自此始知漢學爲何物」。三計塾不授詩文，專事《左傳》《史記》《戰國策》《貞觀政要》《周禮》《管子》等經傳子史的研讀。明治九年（一八七六），安井息軒卒，安井小太郎乃入學雙桂精舍，從遊於島田篁村。翌年，遊學於京都草場船山的敬塾。十五年，入學東京大學古典講習科。十八年，任教學習院，其後進昇副教授、教授。三十五年（一八八二），應聘北京大學堂。四十年，歸國，轉任第一高等學校教授。大正十四年（一九二五），屆齡退休，受聘大東文化學院教授。昭和十三年（一九三八）四月二日，結束其講授著述的生涯，享年八十有一。著有《日本儒學史》《經學門徑》《大學講義》《中庸講義》《論語講義》《孟子講義》《莊子講義》《明治中興詩文》《曳尾集》《朴堂遺稿》五卷等。關於安井小太郎的事跡，「朴堂先生年譜」❷記載有之，茲根據此年譜，並參考其他相關資料，❸敘述其生平梗概。

安政五年（一八五八）　一歲

❷ 收載於《斯文》第二十編第七號、頁二六—頁五九。
❸ 關於安井小太郎的生平及著述，除了〈朴堂先生年譜〉以外，尚有〈朴堂先生年譜略〉（安井小太郎《日本儒學史》的附錄）、〈朴堂先生著述論文目錄〉（同上）、〈安井朴堂先生追悼錄〉（《斯文》第二十編第七號、頁二六—頁五九）等資料。

生於麴町三番町息軒家，父中井貞太郎、母爲息軒的長女須磨子。

文久三年（一八六三）　六歲

父遭幕府逮捕，死於獄中。

慶應元年（一八六五）　八歲

移居位於日向宮崎郡清武村的息軒的故里。

明治元年（一八六八）　十一歲

讀完《孝經》一冊。

明治二年（一八六九）　十二歲

春、寄宿於城下的學校。

明治四年（一八七一）　十四歲

讀完《論語》《孟子》。

至東京，入息軒三計塾。

明治九年（一八七六）　十九歲

息軒卒，入學雙桂精舍。

明治十一年（一八七八）　二十一歲

至京都，從學於草場船山。

明治十五年（一八八二）　二十五歲

入東京大學古典講習科國書課。

明治十八年（一八八五） 二十八歲

入學習院助手。

明治十九年（一八八六） 二十九歲

進昇副教授。

明治二十五年（一八九二） 三十五歲

進昇教授。

明治二十七年（一八九四） 三十七歲

《本邦儒學史》出版（漢文書院）。❹

明治二十八年（一八九五） 三十八歲

《大學講義》《中庸講義》《論語講義》刊行（哲學館）。

明治三十五年（一九〇二） 四十五歲

應聘北京大學堂。

明治三十六年（一九〇三） 四十六歲

任斯文會庶務幹事。❺

---

❹ 根據〈朴堂先生著述論文目錄〉。

明治四十年（一九〇七）　五十歲

歸國。轉任第一高等學校教授。

明治四十一年（一九〇八）　五十一歲

撰述〈古文尚書考〉。

明治四十二年（一九〇九）　五十二歲

撰述〈周禮考〉。

明治四十三年（一九一〇）　五十三歲

撰述〈古文眞寶〉。

大正元年（一九一二）　五十五歲

撰述〈說文與經義〉、〈孟子論〉。

大正二年（一九一三）　五十六歲

撰述〈傳習錄解題〉（《漢文大系》所收）〈鄭王異同辨〉。

大正四年（一九一五）　五十七歲

撰述〈戰國策解題〉（《漢文大系》所收）〈王陽明與論語〉。

大正七年（一九一八）　六十一歲

---

❺ 根據山本邦彥〈斯文會界時代之回顧〉（二十二）（《斯文》十篇第六號、頁五〇—頁五三）

撰述〈關於唐玄宗〉。

大正八年（一九一九） 六十二歲

撰述〈關於慊堂舩刻漢籍意見〉、〈入明三詩僧〉。

大正十年（一九二一） 六十四歲

撰述《禮記譯註》（〈漢文大成〉所收）

大正十一年（一九二二） 六十五歲

撰述〈大學定本〉〈中庸發揮解題〉〈大學雜義解題〉〈中庸逢原解題〉〈論語釋解〉〈論語集解考異解題〉〈論語語由解題〉〈論語考文解題〉〈正本論語朴記解題〉（《日本名家四書注釋全書》所收）、〈正平版論語解〉。

大正十二年（一九二三） 六十六歲

撰述〈大學欄外書解題〉〈中庸欄外書解題〉（《日本名家四書注釋全書》所收）。

大正十三年（一九二四） 六十七歲

撰述〈論語古義解題〉〈論語欄外書解題〉〈孟子古義解題〉〈孟子欄外書解題〉〈孟子考文解題〉〈讀孟子解題〉（《日本名家四書注釋全書》所收）〈讀南淵書〉〈敦煌本經傳釋文音義跋〉〈讀揚雄傳〉。

大正十四年（一九二五） 六十八歲

任大東文化學院教授。

撰述〈孟子逢原解題〉〈孟子斷解題〉（《日本名家四書注釋全書》所收）〈毛詩詁訓傳解題〉〈延德本大學跋〉。

昭和元年（一九二六）　六十九歲

撰述〈論語新注解題〉〈論語知言解題〉〈論僞古文孔傳一、二〉。

昭和二年（一九二七）　七十歲

撰述〈大田全齋與菅茶山尺牘〉〈宋代異學禁〉〈論語孔注辨疑〉〈夏小正校注跋〉。

昭和三年（一九二八）　七十一歲

撰述〈車乘考證並序〉〈慶曆正學派〉。

任斯文會顧問。❻

昭和四年（一九二九）　七十二歲

編纂《斯文六十年史》。❼

昭和六年（一九三一）　七十四歲

撰述〈朱子之經學〉。

---

❻ 根據山本邦彥〈斯文會沿革摘錄〉（《斯文》十一編第六號、頁三六—頁四七）。

❼ 根據山本邦彥〈斯文會沿革摘錄〉（《斯文》十一編第六號、頁三六—頁四七）。

〈日本朱子學派學統表〉刊行（斯文會）。

昭和七年（一九三二）　七十五歲

奉旨進講。

撰述〈與點說〉。

昭和八年（一九三三）　七十六歲

《經學門徑書目》刊行（大東文化學院研究部）。

撰述〈春秋正義解說並缺佚考〉〈先秦至南北朝之經學史〉〈毛詩古訓傳撰者考〉〈經學研究之方針〉。

昭和九年（一九三四）　七十七歲

《小村壽太郎侯略傳》刊行（小村壽太郎侯生誕記念碑建設會）

撰述〈宋代僞學禁〉〈關於和魂漢才〉。

昭和十年（一九三五）　七十八歲

《論語講義》刊行（大東文化協會）。

撰述〈學問源流校註〉〈清代於學術上之功績〉〈春秋說〉〈儒解〉〈公山佛肸章解〉。

昭和十一年（一九三六）　七十九歲

撰述〈續詩疑〉。

昭和十二年（一九三七）　八十歲

《曳尾集》刊行。（自印）

撰述〈孟子解題〉〈周禮解題〉〈周代井田無公田辨〉。

昭和十三年（一九三八）　八十一歲

撰述〈禮記解題〉〈讀伯夷傳〉。

四月二日去世。

安井小太郎專注於儒家經典及日本儒學之研究的學問宗尚，如《本邦儒學史》〈關於慊堂秝刻漢籍意見〉〈入明三詩僧〉〈論語古義解題〉〈論語欄外書解題〉〈孟子古義解題〉〈孟子欄外書解題〉〈孟子考文解題〉〈讀孟子解題〉〈日本朱子學派學統表〉等，是有關日本漢學的撰述，《大學講義》《中庸講義》《論語講義》《經學門徑》〈毛詩古訓傳撰者考〉〈周禮解題〉〈周氏井田無公田辨〉〈春秋正義解說并缺佚考〉〈先秦至南北朝之經學史〉等，是關於經學的著作。至於活躍於當時學界的情形，即先後任教於學習院、第一高等學校、大東文化學院，應聘北京大學堂，兼任當時人材薈萃的「斯文會」的幹事、顧問等經歷，可以由此年譜窺知一二。

二、江戶時代的儒學

《日本儒學史》是安井小太郎在東京文理大學及大東文化學院講稿，生前親自繕寫校訂完成。死後，由門人整理補綴，與所著《日本漢文學史》的草稿合訂成冊的，於昭和十四（一九二五）年，由富山房出版。全書六卷，其篇目爲：

卷一　緒言、藤原惺窩、林羅山、林鵞峰、林鳳岡。
卷二　中江藤樹、熊澤蕃山、三輪執齋。
卷三　南學派、山崎闇齋、山鹿素行、伊藤仁齋、伊藤東涯。
卷四　荻生徂徠、室鳩巢、井上蘭臺、井上金峨。
卷五　太宰春臺、山本北山、古學派、宇野明霞、片山兼山、中井履軒、塚田大峰、皆川淇園。
卷六　水戶學派、大田錦城、海保漁村、林述齋、佐藤一齋、松崎慊堂、山田方谷、狩谷棭齋、附錄一日本朱子學派學統表。

就內容而言，卷一的緒言，敘述江戶時代（一六〇三—一八六七）以前的儒學。藤原惺窩是江戶儒學的始祖，林羅山父子的林家朱子學被立爲德川幕府的官學。卷二是陽明學派。卷三是南學派，受南學派影響的朱子學者山崎闇齋，最早反對林家朱子學的古學派學者山鹿素行及伊藤仁齋、東涯父子。卷四是反對朱子學而提倡古文辭學的荻生徂徠，反徂徠學的朱子學者室鳩巢，在反朱子學與反徂徠學的潮流下，別出門徑的折衷學派。卷五補述卷四，有徂徠學派的代表儒者太宰春臺，反朱子學、徂徠學，又異於折衷學派，而提倡以先秦古文理解儒家經典的古學派。卷六論述水戶學派，重視清朝考證學的考證學派（大田錦城、海保漁村），幕末的朱子學（林述齋）、陽明學（佐藤一齋），主張漢唐注疏的漢唐學派（松崎慊堂、山田方谷、狩谷棭齋）。早期反朱子學的古學派，即山鹿素行的古學、伊藤仁齋、東涯父子的古義學、荻生徂徠的古文辭學盛行之時（卷三、四所述），是江戶儒學的頂點。文化文政（一八〇四——一八二九）至嘉永安政（一八四八——一八五九）之間，朱子學、陽明學、考證學等各學派迭出爭鳴，則是江戶儒學的第二興盛期。關於日本儒學的敘述，散見於各篇章，茲綜理歸納，以見其流行。

武家統治以後（鎌倉時代到德川幕府初期），鎌倉五山、京都五山的人材輩出，如虎關、義海。但是此時的學問僧大抵偏向於漢文學的研究與詩文創造，於儒學則未有深入的研究。即使京都的清原家是明經家，於儒學也未有專論。因此，日本儒學可以說是起源於德川幕府初期的藤原惺窩。（頁三——四）

藤原惺窩的門人林羅山受到德川家康的拔擢，選為近侍，掌理文教。其子鵞峰被幕府任命為大學頭，林家的朱子學自此成為官學。（頁一五八）

羅山、鵞峰、鳳岡三代之際，學術未開，林家的大學頭頗受一般人的尊重。但是，鳳岡以後的復軒、鳳谷、鳳潭等人學術淺陋，不過是得到父祖的庇蔭，徒有大學頭的虛名而已。此時的朱子學大家，如藤原惺窩、林羅山、松永尺五皆凋玲殆盡，山崎闇齋轉入神道，貝原益軒著《大疑錄》，對朱子學抱持著懷疑的態度。純粹朱子學的大家，僅林鵞峰一人。因此在山鹿素行、伊藤仁齋、荻生徂徠等人的批判朱子學，樹立異說的聲浪中，風靡一時的林家朱子學也逐漸中衰。但是，就學術發展的觀點而言，山鹿素行等人能深入研究朱子學進而發現朱子學與經典原義有出入，則象徵著日本儒學有突破性的發展。故此一時期的學術是日本儒學史上的頂點的時代。（頁一二三）

寬文年間，山鹿素行、伊藤仁齋、荻生徂徠競相排斥朱子學而樹立己說，林家及其門下無人能與之對抗，因此，反對朱子學的學風盛行一時。山鹿素行以皇室中心主義解說儒家經典。就其精神而言，不一定有何異論，但是就儒學研究而言，未必衆人皆能首肯。再者，其說頗爲幕府所忌，不能持久倡行。伊藤仁齋以《孟子》解釋《論語》，頗能發揮聖人著述的眞義。至於理氣論的主張，雖然《大學》《中庸》的解釋有異於程朱，其他則大同小異。（頁一二三）荻生徂徠學識富贍，又有才辯。於程朱、伊藤學說的批判不遺餘力。雖程朱、堀河（伊藤仁齋學派）的學者競相反駁，亦難稍減徂徠學派的氣勢。而且徂徠的弟子，如太宰春臺、服部南郭、山井鼎、山縣周南等人，各有專攻，於經學、詩文、校勘的研究皆有成就，風靡天下。因此徂徠學一時興盛。（頁一五三）

徂徠以長人安民解仁，以禮樂刑政爲聖人之學，而輕視《大學》「正心誠意」的修養。故徂徠學僅止於孔子所謂「修己安人」的「安人」而已。雖宋儒有有體無用之譏而徂徠亦不免有有用無體之嫌。因此，徂徠死後，室鳩巢力陳徂徠學的弊害而提倡程朱之學，朱子學又有中興的氣象。雖然如此，由於徂徠學的影響，研讀古書的學者增多，進而理解古書和宋儒之說的差異與徂徠學也有和古書不同之處，因此寶曆（一七五一—一七六三）之後，就有所謂折衷學派和古學派的興起。（頁一五三）

當時所謂的折衷學派，只是折衷古注、新注、仁齋、徂徠之說，尚未能樹立一家之言而開拓新局。代表的學者是井上蘭臺、井上金峨。至於金峨的門下山本北山似有別立一派而入清儒考據學的趨勢，但尚不能超越折衷學派的境域。至其弟子大田錦城之時，才有眞正的考據學的盛行。（頁一八九）

仁齋、徂徠提倡新說，天下風靡。但二氏之說依然有不周衍之處，而仁齋、徂徠所批判的林家朱子學亦然。因此在元文（一七三六—一七四○）前後到天明（一七八一—一七八八）之際，有研讀先秦古書以樹立己見的主張產生。代表的學者有京都的宇野明霞、皆川淇園，江戶的片山兼山、增島蘭園，大阪的中井履軒，尾張的塚田大峰、仁井田好古，信濃的久保筑水，常陸的戶崎淡園等。以上的學者非屬程朱學，也不從仁齋、徂徠之說，就學問的宗尚而言，稍類似漢唐的注疏，是精讀古書以解釋經子。故不是折衷學，也非純粹的考據學，姑稱之爲「古學」。（頁一八九、一九五）而此學風流行於折衷學盛行之後，考證學派未興之間。（頁二三五）

大田錦城的《九經談》卷五指出「予作大疏，以古注爲主，古注所不通，則以朱注補之，朱注所不通，則以明清諸家之說補之，諸家所不通，則以一得之愚補之」。大田錦城的學風是純然的考據學，其說兼採漢宋、參取明清而成一家之言。日本的考據學以大田錦城爲嚆矢。其後，海保漁村、島田篁村繼起，學風一變。（頁二四四）海保漁村繼承其師大田錦城的學風，唯錦城的考證博而寡要，漁村則頗爲確實。島田篁村傳漁村之說，專攻考證學。（頁二四九）

天明七年（一七八七），松平定信任老中，欲振興儒學，矯正人心風俗，乃以學問所爲天下教學之中心。寬政五年（一七九三）林述齋繼任大學頭後，即改革學問所的學制，編修《武家名目抄》《寬政重修諸家譜新編武藏夫土記》《佚存叢書》等國史關係書籍。命令十萬石以上的諸侯出版大部的書籍。即自身專致於學問所的改革等的事務。至於林家家塾的學問傳授，則委託弟子佐藤一齋。如此，學問所與林家家塾同心協力，以振興斯文爲急務。林述齋的弟子有佐藤一齋、松崎慊堂。慊堂由朱子學而入漢唐注疏學。一齋兼治朱子、陽明學。慊堂的門下有塩谷宕陰、安井息軒。宕陰善於文章、息軒兼採漢唐舊說與清儒考證之學而出入於仁齋、徂徠、朱子學。一齋的弟子有治朱子學的大橋訥庵、安積艮齋，攻陽明學的山田方谷、吉村秋陽、東澤瀉等人。於是，文化（一八〇四—一八一七）文政（一八一八—一八二九）至嘉永（一八四八—一八五三）安政（一八五四—一八五九）的五、六十年間，朱子學、陽明學、考證學的大家並出，文物燦然，盛極一時。（頁二五三—二六一）

松崎慊堂先從林述齋治朱子學，其後，攻漢唐之學。與慊堂同時的有狩谷棭齋、市野迷庵、山梨稻川等人，各有專攻，主要研究《十三經》、《說文》、《爾雅》。因此，於文化、文政之際，開拓漢唐學一派。（頁二六六、二七四）

中江藤樹開啓陽明學以來，其後，雖有熊澤蕃山、三輪執齋等人嶄露頭角，而陽明學始終不振。至佐藤一齋出，陽明學乃再興。且在其弟子山田方谷、吉村秋陽、東澤瀉等人的繼承下，陽明學大行至明治時代。（頁二六五）

朱子學、陽明學、古學、折衷學、考證學等，各學派的學者爭鳴於江戶時代二百六十多年間的學術流衍，大抵如上所述。而安井小太郎的《日本儒學史》別具用心的是在辨章學術，考竟源流。如各學派興衰的說明是其一。別立於折衷學派、考證學派之間興起的古學一派，以說明文元與天明之間的學術，是其二。體裁雖類似列傳式的記述，而以學案式的學統表，如蘭臺學的傳承（頁一七四）、古學派之學者（頁一九五六）、林述齋之學系表（頁二五三），以說明各學派的發展脈絡，可補列傳式敘述的不足，是其三。

安井小太郎的《日本儒學史》的體例類似於學案。即先敘述個人的生平，再摘錄其重要著述及學說，而後品評其學說的得失。至於各時代的學界大勢、學派的流衍與學統系譜，則於各時代或學派之具有代表性學者的論述時，作簡要的敘述❽。如

---

❽ 此書原本是大學的授課講義，再者，或有篇幅的限度，因此只能概略性的敘述個人的學術要旨而不能詳細地長篇論說。（與安井小太郎同時的井上哲次郎有《日本古學派之哲學》《日本朱子學派之哲學》《日本陽明學派之哲學》三大論著，安井小太郎的《日本儒學史》不如井上氏的詳細，由於篇幅的關係，待後日再詳論井上的著作。）茲摘錄數人的學說要旨於後。

林家的學問宗尚在於國史的專注，林鵞峰之用心於考證，即受到國史學的影響。（頁二二）

中江藤樹以爲人倫之道皆本於孝道。（頁四八）

熊澤蕃山雖是陽明學者，卻主張先學朱子學再習陽明學。（頁六一）

德川時代以南朝爲正統的論者迭出，乃得力於山崎闇齋的提倡。（頁一〇〇）

山鹿素行的政治經濟多取《周禮》、《管子》，較徂徠的《政談》、春臺《經濟錄》更具規模。又山鹿素行的國體觀與山崎闇齋的神道的精神相類似，但是闇齋神道的宗教色彩較濃厚，素行的國體觀則頗具常理。（頁一一一、一一三）

仁齋以《論語》爲「最上至極宇宙第一」之書，以《孟子》爲《論語》的注。故以《論》《孟》爲本經，以《詩》《易》《書》《春秋》爲正經，《三禮》《三傳》爲雜經。以孔子孟子爲儒學的中心，《詩》《易》《書》等爲羽翼。（頁一二一）

山井鼎的校勘學早於清朝。（頁一五六）

木門（木下順庵）諸子皆上品蘊藉有宋慶曆諸賢之風。（頁一六一）

室鳩巢的《駿臺雜話》爲從事政治教育之人必讀之書。（頁一六八）

徂徠門下濟濟多士，然皆以文藝之學得名，崇信徂徠經說而通諸經的僅太宰春臺一人而已。（頁一八一）

東條琴臺的《先哲叢談續編》載錄久保筑水、朝川善庵之言，說大田錦城《九經談》之「或曰」皆片山兼山之說。（頁二〇八）

中井履軒之說不免武斷，而往往有古人未發之說。精讀古書之故也。（頁二〇九）

塚田大峰以正德、利用、厚生爲道，比徂徠以禮樂爲道較實際。（頁二一二）

皆川淇園以仁有愛人、吾身之修養二義，優於前儒之解。（頁二二二）

藤田東湖的弘道館記及其述義頗能發揮水戶學之精神。由弘道館學則可知水戶學以我邦爲主，以儒學中江藤樹（一六〇八－一六四八），據云其初學朱子學。西川季格《集義和書顯非上》記載，中江藤樹十三歲至禪寺學《四書》素讀。其後，收集儒書字書而獨學。十七八時，文理開通。二十四歲時，偏讀群經諸子。病弟子拘於禮儀，偏於一隅，且責人甚嚴而失和順之道。以爲善學程朱之學者，春風和順自然可親，且能容人。否則，偏屈而多辯。三十三歲，得《王龍溪語錄》而讀之。翌年，獲《王陽明全書》慕其學，乃棄程朱而入王學。藤樹最爲人知之代表作爲《翁問答》。《翁問答》是借天君之老翁與體充之人的問答而說孝德一貫之道的著述。天君本於「心居中虛以治五官」、夫是之謂

禆輔國家治教之精神。此精神與山鹿素行、山崎闇齋相符，然不似素行之淺薄、闇齋之偏固。（頁二三四）

大田錦城以爲經學有三變，而其分界萌於唐啖助、趙匡、陸淳始駁《春秋三傳》，古今學術之分界由此萌矣。（宋）孫明復之《尊王發微》、劉原父之《七經小傳》、歐陽修之《詩本義》、蘇氏父子之《詩》《書》《易》、王安石之《三經新義》出，漢唐學始變，程朱性理之說興，漢學宋學遂大分。（頁二三七、二三九）

海保漁村的考證頗著實，似乾隆時之學者。（頁二四八）

林述齋於學術貢獻有三，改革學問所的學制、編集國史關係書籍、出版叢書。（頁二五八）

佐藤一齋乃以長於詩文而得盛名，非以學術。（頁二六二）

山田方谷之學術、人品皆高人一等，若舉佐藤一齋門下之陽明學代表，則非山田方谷莫屬。（頁二七二）

天君」，（《荀子》天論）即爲心。體充本於「氣者體之充也」，（《孟子・公孫丑上》）即爲氣。故天君之老翁與體充之人的問答，即心與氣的問答。中江藤樹以孝爲至高至大之德，天地萬物人類之關係皆可以孝德論說，此謂之爲全孝說。

此實爲孝。在天爲天道，在地爲地道，在人爲人道。原來無名，爲教示眾生，昔之聖人名之爲孝。由此，雖愚痴不肖之人亦知其名，而其眞實之道理，老師宿儒知見拔群之人悟得者亦稀。然世俗以孝爲事親一事、道理淺近。孔子爲啓萬世之心盲，以孝經發明孝德神妙不測廣大深遠、無始無終神道。（《翁問答》上卷）

藤樹以愛敬解孝。以敬愛君爲忠，以愛敬臣下爲仁，以愛敬爲子慈，以愛敬兄爲悌，以愛敬夫爲順，以愛敬妻爲和，以愛敬朋友爲信，人倫之道皆本於孝德。

夫孝德以中和爲體段，以愛敬爲本實。具於方寸之中，充塞於太虛，包羅六合，上達無始之往古，下徹無窮之未來，無生死幽明有無之差別，爲無上無外之神道，故名之爲至德要道。（《翁問答》上卷）

又：

天神地祇爲萬物父母，太虛皇上帝爲人倫之太祖。以此神理觀之，聖人賢人釋迦儒者佛者我人、世界之內有人之形者皆皇上帝天神地祇之子孫。又儒道即皇上帝天地神祇之神道，則有人之形而謗負儒道者，即謗其先祖父母負其命。……畏敬我人大始祖之皇上帝，大父母之天神地祇之命，欽崇愛用其神道者，名爲孝行，又名爲至德要道、儒道。教之而云儒教，學之而云儒學，善學之、心守身行而云儒學。（《翁問答》下卷）

藤樹如此地推衍孝道。由萬物事天地之道至天地事太虛皇上帝之道，即在天地間之物皆歸結至父子之關係。蓋以親子之情愛爲人之最切要者，故以孝爲道德一切事之基本。《孝經啓蒙》（中江藤樹之書）有此說，熊澤蕃山之《集義和書》亦有同樣之說。明人所著《孝經大全》有全孝圖，藤樹之圖大略相同。藤樹之說似本此。因此，中江藤樹之學非程朱學、亦非陽明學。而是獨樹一格的藤樹學。

一般以爲中江藤樹爲日本陽明學的開山始祖，就學術流派的區分，中江藤樹有別於藤原惺窩、林羅山之推崇程朱學。而且三十三歲以後，仰慕陽明學，故中江藤樹之屬於陽明學派，自然是無過厚非。但是安井小太郎以爲中江藤樹的代表作《翁問答》所主張的《全孝說》，不是程朱學，也不是陽明學，而是自成一家的藤樹學。即近似明人《孝經大全》的全孝圖說，以「孝」爲貫通天地人倫關係之至德的別樹一格的學說。其實，中江藤樹的著述中有《大學考》《四書考》大學蒙注》《中庸解》《論語解》等闡述程朱和陽明學。然則何以安井小太郎特別強調《翁問答》的「全孝說」。服部宇之吉在安井小太郎《日本儒學史》的序文說，所謂「日本的儒學」是日本諸派的儒學。「日本儒學」是儒教東漸，與固有皇道融合，而渾然成一道的儒學。即說明安井小太郎撰述《日本儒學史》一書有兩個目的：一是敘述江戶儒學的概況，二是闡述接受中國的學問，融合本土固有傳統思想而別出蹊徑的儒學。安井小太郎之所以強調《翁問答》的「全孝說」，即在闡揚前賢開創新說的成就。又如：

大田錦城（一七六五－一八二五），名元貞，字公幹，通稱才佐。加賀大聖寺人。幼而神童之稱。從兄伯恒學醫學，然不屑爲方技之事，而志在儒學。天明四年（一七八四）、遊學江户，時年十九。當時徂徠學之大家皆已亡，朱子學有細井平洲、藪孤山，然皆偏在一方，江户、京都之朱子學無特出之大家。江户之大家爲繼承井上金峨折衷學之山本北山，京都則是有繼承仁齋學之皆川淇園。淇園用心於義理訓詁，考證《易》《詩》《儀禮》《禮記》《左傳》《論語》《孟子》等書，而作譯解。《易原》《名疇》是其代表作。折衷學派興起之後至考證學派未興之間，淇園一派之學風盛行。屬於此派之學者有片山兼山、久保筑水、朝川善庵、中井履軒等人。皆精讀古書，講求字義而說義理。頗能凌駕前人，而不免武斷。故後繼無人，大田錦城出而倡考證學，此學派即衰微。

大田錦城初至江户，無當其意者無有可師者，乃至京都，從學於皆川淇園。後不滿淇園之學，再返江户，入山本北山之門。旋出師門而獨學。時幕府侍醫多紀元簡以藏書家聞名，愛錦城之才學，借其藏書使讀之。錦城乃得以博覽群書。著述雖甚多，而付梓者僅《九經談》《疑問錄》《梧窗漫筆》《仁說三書》《錦城文錄》《鳳鳴集》等書。《九經談》十卷，爲大田錦城晚年之作。〈總論〉有論經學三變者。漢學長於訓詁、宋學長於義理、清學長於考證。……自漢至唐其學小變，然要皆漢學也。自宋至明其學小變，然要皆宋學也。清人有爲漢學者焉、有爲宋學者焉、有混漢宋之學而自爲一家者焉，然要皆清學，而其所長則考證也。……唐啖助、趙匡、陸淳始駁春秋三傳，古今學術之分界由此萌矣。(宋)孫明復之「尊王發微」、劉原父之「七經小傳」、歐陽修之「詩本義」、蘇氏父子之《詩》《書》《易》、王安石之《三經新義》出，漢唐學始變，程朱性理之說興，漢學宋學遂大分。程朱之學雜佛老，是其短所，去短取長，可成粹然者。漢學小醇而小疵，宋學大醇而大疵也。……近世清人考據之學行焉，學問之博過絕前古，然不論義理之當否。而唯欲援據之多，書名人名充靭卷帙而義理之學荒矣。予名之曰書肆學焉。夫四書六經者義理之淵藪，而考據則傳注疏釋之學，義理本也，考證末也，……考證雖精，義理舛乖，則又何用無乎。且也考據之學，其所費精，則在瑣義末理，而聖道大原則措而不講。是亦近世學者之弊也。若夫講明經義道學，考證精確而義理正當，則謂之儒者之學矣。

談經學流變者，在中國有《四庫全書總目提要》的〈經部總敘〉有「經學古今六大變」的敘述，即分漢、魏晉至隋唐、宋、宋末至明、明正德以後、明末清初以後等六期。其後，皮錫瑞提出經學十變說，細分爲開闢時代（春秋）、流傳時代（戰國）、昌明時代（西漢武帝）、極盛時代（西漢元成二帝至東漢）、中衰時代（東漢桓靈二帝至魏晉）、分立時代（南北朝）、統一時代（唐）、變古時代（宋）、積衰時代（元明）、復盛時代（清）等十期。在日本而早於大田錦城的有伊藤東涯的《古今學變》。伊藤東涯以爲經學有二變。一變於漢、一變於宋。三代以前政道合一，漢代之際，治與道分岐爲二，且加之以災異五行之說，故古之學始變。「自斯而後，爲章句訓詁之學，爲詞章記聞之學，聖人之道，晦盲不明者，千有餘年。」宋儒倡明聖排道，以斥異端。「其造詣之深，研覃之精，固非漢唐諸儒之所能跂及也。然以性爲未發之理，無欲爲作聖之方。……徒有其名，而竟無其物。於是乎古之學再變矣。」伊藤、大田以後則有安井小太郎的論述。安井小太郎以爲經學之名起源於漢代。就經學的研究方法而言，有三次的變遷。第一爲西漢至北宋之間所盛行的訓詁學。第二爲南宋至明末的理學。第三爲清初至今日的考證學。再就研究的內容而言，各階段又可分爲以下的細目。訓詁學分爲專於一經之學、五經通義、今文學、古文學、南學（南朝的經學）、北學（北朝的經學）、注疏學。理學分爲朱子學、陽明學、折衷學（劉宗周）。考證學分爲訓詁學、音韻學、金石學（文字學）、校勘學、雜家（清末常州公羊學派）❾。關於經學起源於漢代的主張，安井小太郎是根據皮錫瑞《經學歷史》的說法。至於經學的流衍，則承繼伊藤東涯和大田錦城二人之說，並參考《四

---

❾ 參「先秦至南北朝經學史」（《經學史》頁一－六六、松雲堂出版、一九三三年）

庫全書總目提要》的敘述，進而提出自己的見解。特別是第一期的訓詁學與第四期的考證學的細目，頗能辨章當時的經學研究狀況，探究學術的源流，確實是後出轉精的知人之言。

三、前人著述的考校與評價

大田錦城是確立日本考證學基礎的儒者。其弟子是海保漁村，漁村的門下是島田篁村。安井小太郎遊於篁村的門下，也是篁村的女婿。安井小太郎的祖父安井息軒是松崎慊堂的入室弟子。息軒兼採漢唐注疏、清朝考證，旁及程朱、仁齋、徂徠之學，執幕末儒學界之牛耳。明治九年（一八七六）安井小太郎入學島田篁村的雙桂精舍之前，即在祖父的三計塾，埋首於經傳子史的研讀。由於家學淵源與師承關係，安井小太郎乃能審於校勘而精於考證。因此，《日本儒學史》一書也有考校江戶儒者著述的文字。如：

中江藤樹取古文孝經而著《孝經啓蒙》。安井小太郎以爲中江藤樹的《孝經啓蒙》與《通志堂經解》收錄的司馬光的《孝經指解》相同，所根據的是宋代的古文孝經而非漢代的古文孝經。因爲二書所載「聖治」章「故親生之膝下，以養父母日嚴」、「父母生之，續莫大焉」的文字與今文孝經一致。而足利學校所藏古文孝經作「故親生毓之」、「父母生之，績莫大焉」，無「膝下」二字。文義難通，卻與《漢書藝文志》所論「父母生之續莫大焉，故親生之膝下。諸家讀不安處，古文讀皆異」相近。由於中江藤樹的《孝經啓蒙》與足利學校所藏古文孝經不同，故安井小太郎認爲中江藤樹所根據的並不是眞正的古文孝經。（頁五三—五四）

即中江藤樹的《孝經啓蒙》非本於《古文孝經》辨。又：

伊地季安的《漢學紀源》以爲「桂庵出於惟肖之門」。安井小太郎引述「文之和尚〈與恭畏阿闍梨者〉」的「當是時東山有惟正、東福，有景召二老，時之名納，而同出於不二之門。……我桂庵老師從二老而聞義，殆熟矣」之文，以爲桂庵非出於惟肖之門。即使有入惟肖之門，或如足利氏《鎌倉室町時代之儒教》所敘述的「桂庵九歲入京之時，惟肖七十六歲，後二年圓寂。（桂庵）但爲童役之左右侍而已，不可謂惟肖爲桂庵儒學之師。」（頁八七）

即桂庵非出於惟肖之門辨。又：

荻生徂徠非難伊藤仁齋的學說乃剽竊明吳廷翰的《吉齋漫錄》而非自己的創見。其後，太宰春臺的《紫芝園漫筆》、那波師曾的《學問源流》、河水靜齋的《斯文源流》、尾藤二洲的《正學指掌附錄》皆持此說。但安井小太郎以爲，伊藤仁齋雖與吳廷翰相同，都主張「理氣合一論」。但「理氣合一論」並非吳廷翰的創見，程明道、張橫渠、陸象山、王陽明等人既已提出。因此不能說仁齋的學說是剽竊吳廷翰的。再者，吳廷翰崇信周茂叔、程明道之說，以爲「蓋無極太極者、言此氣之極至而無以加」。但仁齋則以爲「無極而太極」是臆說不足取。又在陰陽五行的解釋方面，仁齋也不同於吳廷翰。對儒家思想的基本概念的闡述有如此的差異，豈能因爲「天地之初一氣而已」的一句話，就指責伊藤仁齋的學說是剽竊明吳廷翰的《吉齋漫錄》。（頁一三〇）

即伊藤仁齋之學非剽竊《吉齋漫錄》辨。又一般以爲荻生徂徠推崇明李攀龍、王世貞「文必秦漢、詩必盛唐」的主張而創立古文辭學派。雖然如此，安井小太郎引述徂徠的《辨名》：

讀書之道以知古文辭古文爲先。如宋諸老先生稟質聰敏、操志高邁，非漢唐諸儒所及。然以今文視古文、以今語視古語，卒不得古道。至明李滄溟先生始倡古文辭。……然其所志在丘明、子長之間而不及六經。苟從其教而識古今文辭之殊，則古言知古義明，聖人之道可得而言。

指出徂徠的「古文辭」固然是淵源於李攀龍、王世貞的古文辭，然而李王的古文辭是以之爲詩文創作的理論根據。荻生徂徠則主張以古文解釋六經。換而言之，李王與徂徠的學說名稱雖然相同，其作用與目的卻不同。（頁一四七）

即徂徠古文辭與李王古文辭異同辨。又

或以爲大田錦城的學問出於《學海堂經解》，其《九經談》即抄錄《學海堂經解》而成的。安井小太郎辯駁說，《九經談》的引用書僅及毛奇齡、朱彝尊、顧炎武、閻若璩的著述而已。況且《學海堂經解》的刻成於清咸豐十年（日本萬延元年、一八六〇），距大田錦城死後三十五年，其何以得見經解。（頁一四三）

即大田錦城的《九經談》非抄襲《學海堂經解》辨。

綜上所述，或考證著述之所本並非眞本，即中江藤樹的《孝經啓蒙》非本於《古文孝經》。或考辨前人的師承，即桂庵非出於惟肖之門辨。或辨明前人的學術宗尚，即徂徠古文辭與李王古文辭異同辨。或爲前人的學問之所出作辨解，即伊藤仁齋之學非剽竊《吉齋漫錄》辨與大田錦城的《九經談》非抄襲《學海堂經解》辨。大抵能理解安井小太郎用心於考證校勘之所在。至於其家學師承而鑽研經學之事，其著作以經學研究論著居多，可以理解之外，其在《日本儒學史》中，對於江戶儒者有所批評時，大多著眼於經論及其對儒家思想的重要概念，即道、仁、義等字的字義作細緻的分析，也可以知道。於江戶儒者的批評者，如

新井白石在職時，朝鮮國使者來聘，向幕府遞呈朝鮮國王國書。白石主張邦交對等的原則，援引漢代諸侯王之例，且幕府乃遡源於清和天皇，故以日本國王源某復書。但雨森芳洲以爲使用王號固無不可，然幕府用之，則須稱武藏國王。安井小太郎以爲皇族用王號之例，不僅漢代有，平安時代也有，固不足爲奇。但在名分上，則不宜稱日本國王。使白石深於經學，不至有如此之誤。（頁一六三、一六四）

即以新井白石不諳《春秋》大義，以至於逾越節度而妄用名分。又

> 太宰春臺以《孝經》《論語》《孔子家語》爲孔子之書。《古文孝經》出孔壁，爲孔子眞本與孔安國傳者並失傳於中土，獨我國足利學校有傳。安井小太郎以爲足利學校所傳《古文孝經》與漢初的《古文孝經》確實是同一書，由《漢書藝文志》的記載可以爲證。然孔安國所傳者爲僞作，固不可信，《孔子家語》更可疑。春臺卻以二書爲可信，誠有失精審。（頁一八三－一八五）雖塚田大峰以爲「今世《孝經》與《孔子家語》廣行於世，乃春臺之力，於聖門有莫大之功」。但安井小太郎以爲今之《孝經》與《孔子家語》皆爲可疑之書，特別是《孔子家語》乃王肅之僞作，故「於聖門有莫大之功」的說法，未必正確。（頁二一五）

即太宰春臺不知孔安國所傳《古文孝經》爲可疑，《孔子家語》爲王肅之僞作，即使刊行二書而流傳於後世，也未必有功於聖門。至於對儒家思想的重要概念的字義分析有：

> 塚田大峰以正德利用厚生爲二帝三王之道。徂徠以禮樂爲二帝三王之道。道爲統名。析言之，天道、地道、人道、政治、學問、處世、治病、軍陣、治水、耕作等皆各有其道。然以二帝三王爲政治家，政治之道可爲人人之道，則禮樂亦可、正德利用厚生亦可。但以之（指大峰以正德利用厚生爲二帝三王之道，徂徠以禮樂爲二帝三王之道）解所有之道，

則不通之處甚多。姑以《論語》而言，如〈子罕篇〉「未可與立、未可與權。」又如「子曰是道也、何足以臧。」則以禮樂解道爲可，以正德利用厚生解道亦可。故道爲方法，適於用者皆爲道，固不可拘於一義也。（頁二一三）

即以「權宜」之義解釋「道」，凡適於用者，皆可謂之道。故「道」既有超越性，又有普遍性的意義。無一而非是，是超越性。所行而皆可，是實用心生。又：

（塚田大峰）以義爲行事制其宜之謂。原於東晉古文〈仲虺之誥〉「以義制事」之文。並引《禮記》《孔子家語》《國語》《管子》《易》《左傳》等「從宜曰義」之文爲證。然義有二義。《易·文言》「利者義之和也」、《孟子》「羞惡之心者、義之端也」不可以從宜解之。此義謂不辱己。《論語》「君子喻於義、小人喻於利」亦同。義利之義多屬之。（二一八）

即以義有內省不辱身的修養工夫與從宜而行的處世之用二義。又

（皆川）淇園之解仁而不止於愛人，而及於吾身修養，乃優於前儒之解者。然未論及仁者靜、仁者壽、仁者不憂等超然自得之仁。（頁二二二）

即以仁兼有超越性、內在性、外在發用性等三義。綜合安井小太郎所論儒家中心思想的「道」、

「仁」、「義」等字義，可以窺知安井小太郎所以爲的儒家的根本思想，是既有超越性的意義，又有內在於吾人之身，若修養而成，亦可發用，而適宜的行於人間世的意義。

四、結語——與林泰輔並稱為日本儒學研究的雙璧

服部宇之吉的〈憶安井小太郎〉⑩指出：「就安井小太郎學問的成就而言，是在日本儒學史的研究上有一部代表作。研究日本儒學史的人漸多，但誰也沒有著作出版。……與林泰輔並稱爲日本儒學研究的雙璧。」即說明安井小太郎早就留意於日本儒學史的研究，所著《日本儒學史》是第一部有關江戶儒學史的論著。何以安井小太郎會從事日本儒學史的研究。就當時的學術潮流而言，或許受到明治時代以來國粹主義的影響，學術界也有本土意識的產生。如井上哲次郎有《日本古學派之哲學》《日本朱子學派之哲學》《日本陽明學派之哲學》三大論著。服部宇之吉主編的《漢文大系》，雖收集研究漢學必備的中國經傳子史，但於注疏的部分，不但有中國的注疏，也收錄有日本江戶儒者的注釋。安井小太郎編集的《經學門徑書目》亦然，不但列舉中國經學注疏簡明目錄，也有江戶儒者的經學研究書目的解題。安井小太郎的《日本儒學史》旨在敘述江戶儒學的流衍，進而闡述江戶時代的儒者如何接受中國的學問，融合本土固有傳統思想而開創新說的學術成就。因此可以說安井小太郎的《日本

⑩ 收載於《斯文》十七編第一號、頁三一—頁三二。

儒學史》是反映本土化意識高揚時的學術著作。再就師承的影響而言，島田篁村有〈與黎蒓齋（庶昌）書〉一文，簡略地敘述日本漢學的流變。大意爲

> 及德川氏，藤原惺窩、林羅山之登用，始開朱子學之風氣。唯就全體而言，尙屬草昧時期。逮伊藤仁齋出，著《語孟字義》《中庸發揮》等書，披瀝獨見，得與顧炎武、閻若璩比肩。繼仁齋之後而主盟者爲荻生徂徠。其好李、王古文辭，高唱秦漢古文而風行一時。寬政年間，頒行異學之禁而獨尊朱子學。百家紛紜之勢雖得以止，而學術亦衰。此後，山本北山、皆川淇園、大田錦城之名爲人所熟知。幕末之際，講經者，有海保漁村、安井息軒等人；能文者，有賴山陽、佐藤一齋、塩谷宕陰等人。此爲德川期學問之盛衰。⓫

即略述古代日本以至德川時代的學問趨勢，猶如《日本儒學史》的序文。根據安井小太郎的〈篁村遺稿跋〉指出，島田篁村原本有「著歷代學案，以補黃梨洲之未及，精研十餘年，未脫稿。」之意，即有意增補黃宗羲《宋元學案》《明儒學案》的缺漏，進而以兩學案的體例，撰述《日本學案》。但是積十數年的研究而未完成。安井小太郎之撰述《日本儒學史》，或有完成先師遺志的用心。不但有體裁類似學案式的學統表，如蘭臺學的傳承（頁一七四）、古學派之學者（頁一九五）、林述齋之學系表（頁二五三）等，說明各學派發展脈絡的敘述。

⓫ 有關島田篁村的事跡，參町田三郎先生〈島田篁村學問之一斑〉（《日本幕末以來之漢學者及其著述》頁一〇五—頁一一二、文史哲出版社、一九九二年）。

更有「化政期（一八〇四—一八二九）至嘉永（一八四八—一八五三）安政（一八五四—一八五九）的五、六十年間，朱子學、陽明學、考證學的大家並出，文物燦然，盛極一時。」（頁二五三—二六二）即十九世紀初、中期的五六十年間是江戶儒學的第二高峰期之新見解的提出，以修正島田篁村「寬政以後，江戶漢學中衰」之說的缺失。

安井小太郎的《日本儒學史》之所以值得重視，乃在於此書能反映當時本土意識盛行的學術潮流，並且是繼承師說而完成的第一部江戶儒學史的論著。

第六章　清代與日本江戶時代的經學考證學的異同——通過梁啓超「清代學者整理舊學總成績」與安井小太郎《經學門徑書目》的檢討——

一、〈先秦至南北朝之經學史〉

井上哲次郎盛贊安井小太郎的經學研究成果說：

朴堂君最用力於經學，而又長於文章，鬱然而成家。……關於經學，朴堂君以「經學之變遷」爲題敘述其大要（見於大東文化協會發行之《月刊大東文化》第二十一號）。其他〈先秦至南北朝之經學史〉收載於松雲堂發行《經學史》（一九三二年刊）一書之首。朴堂以爲先秦時代無「經學」之名。雖「六經」之名始於戰國儒學主要典籍或有以「經」爲名者，經之成爲學者，則始於漢代。而經學之研究法有三次之變遷。第一「訓詁學」、前漢至北宋所行者。第二

「理學」、南宋至明末所行者。第三「考證學」、清初至今日所行者。「訓詁學」分爲七類，第一「一經專門之學」、第二「五經通義」、第三「今文學」、第四「古文學」、第五「南學」、第六「北學」、第七「注疏學」。朴堂君所謂南學者，即南朝之經學，北學者北朝之經學。「理學」則分三類。第一「朱子學」、第二「王子學」（即陽明學）。第三「折衷學」、劉宗周可爲代表。「考證學」分五類，第一「訓詁學」、第二「音韻學」、第三「金石學」、第四「雜家」、第五「校勘學」。以今日廣義之學術立場而言、第三之「金石學」即「鑛物學」、「雜家」之名稍異於常習，名之爲雜事學亦可，而朴堂君不知何故，以「雜家」稱常州學派即公羊學派。雖然，朴堂君所論經學之變遷、分類，乃有一家之見識❶。

關於中國經學之變遷，安井小太郎乃根據山鹿素行

孟子以後至宋、其學有三變。戰國法家・縱橫家、漢唐文字訓詁・專門名家、宋理學心學也（《聖學要錄》）

伊藤東涯

三代聖人之道，……一變乎漢，再變乎宋。……周衰接乎戰國，禮樂廢墜，……漢興

❶〈安井朴堂君を追憶す〉（《斯文》第二十編第七號、頁二六—頁三〇、原文爲日文）。

詩書稍行，……治之與道，岐爲二塗加之災異五行之說，盛行于世，……於是乎古之學始變矣。自斯而後，爲章句訓詁之學，爲詞章記聞之學，聖人之道，晦盲不明者，千有餘年。……逮宋眞儒勃興，倡明聖道，以斥異術，其造詣之深，研覃之精，固非漢唐諸儒之所能跂及也。然以性爲未發之理，無欲爲作聖之方，……徒有其名，而竟無其物，於是乎古之學再變矣。（〈古今學變〉）

大田錦城

漢學長於訓詁、宋學長於義理、清學長於考證。……自漢至唐其學小變，然要皆漢學也。自宋至明其學小變，然要皆宋學也。清人有爲漢學者焉，有爲宋學者焉，有混漢宋之學而自爲一家者焉，然要皆清學，而其所長則考證也。……唐啖助、趙匡、陸淳始駁春秋三傳，古今學術之分界由此萌矣。（宋）孫明復之《尊王發微》、劉原父之《七經小傳》、歐陽修之《詩本義》、蘇氏父子之《詩》《書》《易》、王安石之《三經新義》出，漢唐學始變，程朱性理之說興，漢學宋學遂大分。程朱之學雜佛老，是其短所，去短取長，可成粹然者。漢學小醇而小疵，宋學大醇而大疵也。

三人的論說，又依據清《四庫全書提要．經部總敘》所說的「漢、漢至隋唐、宋、宋末至明、明正德以後、明末清初以後」，即所謂「經學古今六大變」，參考皮錫瑞《經學歷史》所記載的「開闢時代（春秋）、流傳時代（戰國）、昌明時代（西漢武帝）、極盛時代（西漢元成二帝—東漢）、中衰時代（東漢桓靈二帝—魏晉）、分立時代（南北朝）、統一時代（唐）、變古時代（宋）、積衰時代（元明）、別又將第一期和第三期再作細目分類，用以說明中國經學發展源流。換而言之，談經學流變者，在中國有《四庫全書總目提要》的〈經部總敘〉有「經學古今六大變」的敘述，皮錫瑞提出經學十變說。在日本而早於大田錦城的有伊藤東涯的《古今學變》。伊藤東涯以爲經學有二變。一變於漢、一變於宋。三代以前政道合一，漢代之際，治與道分岐爲二，且加之以災異五行之說，故古之學始變。「自斯而後、爲章句訓詁之學、爲詞章記聞之學、聖人之道、晦盲不明者、千有餘年。」宋儒倡明聖排道，以斥異端。「其造詣之深，研覃之精，固非漢唐諸儒之所能跂及也。然以性爲未發之理，無欲爲作聖之方。……徒有其名，而竟無其物。於是乎古之學再變矣。」伊藤、大田以後則有安井小太郎的論述。安井小太郎以爲經學之名起源於漢代。就經學的研究方法而言，有三次的變遷。第一爲西漢至北宋之間所盛行的訓詁學。第二爲南宋至明末的理學。第三爲清初至今日的考證學。再就研究的內容而言，各階段又可分爲以下的細目。訓詁學分爲專於一經之學、五經通義、今文學、古文學、南學（南朝的經學）、北學（北朝的經學）、注疏學。理學分爲朱子學、陽明學、折衷學（劉宗周）。考證學分爲訓詁學、音韻學、金石學（文字學）、校勘學、雜家（清常州公羊學派）。關於經學起源於漢代的主張，安井小太郎是根據皮錫瑞《經學歷史》的說法。至於經學的流衍，則承繼伊藤東涯和大田錦城二人之說，並參考《四庫全書總目提要》的敘述，進而提出自己的見解。特別是第一期的訓詁學與第四期的考證學的細目，頗能辨章當時的經學研究狀況，探究學術的源流，確實是後出轉精。

至於井上哲次郎不解爲何安井小太郎將常州學派即公羊學派歸屬爲雜家的原因，或許安井小太郎以爲乾嘉期的考證學是清朝學問頂點，也是清朝學術的轉捩點，乾嘉以後學風大變，《春秋》學由《左傳》的研究轉爲《公羊》，即是一例。也或許和安井小太郎的師承有關，安井小太郎繼承大田錦城—海保漁村—島田重禮的考證傳承，以爲考證學是清代學術的代表，公羊學雖至道光而盛行，頗出奇僻之異見，有失淳厚，不免流於傍出。

如井上哲次郎所說，安井小太郎將中國經學史分爲三期十四類。在此依據安井小太郎的「先秦至南北朝之經學史」詳論皮錫瑞所說的開闢時代到分立時代經學發展的情形。安井小太郎說：

> 一般而言，經學之名始於漢代，論說經學歷史肇自漢代是適當的。然戰國時代已有六經之名，故雖無經學之名而有經書名。（〈先秦至南北朝之經學史〉，頁一）

先秦時代雖無經學之名而已有經書的存在，因此講中國經學史而自先秦開始，並非錯誤。

> 皮錫瑞之經學歷史主張孔子刪定《六經》，故經學實自孔子始。然經書果由孔子所定與否，是個問題，我以爲孔子並未刪定。孔子刪定說始於司馬遷，《史記》以前無此

記載。《六經》是儒家經典，果爲孔子刪定。價值非凡、司馬遷以來至唐之學者當皆確信不疑。然對孔子刪定六經之說卻有種種疑問。唐孔穎達持疑在先，宋以後益多。……孔子未刪《詩》，原本即有三百十一篇，其中六篇亡佚。……孔子未嘗刪定書經。……先儒以《易》爲伏羲文王周公之作，無刪定說。……《儀禮》之〈士喪禮〉雖與孔子有關，卻無關宏旨。樂則亡佚無可查考。由以上所論可知，孔子未刪定《六經》。……司馬遷孔子刪定說以來、《漢書·藝文志》、《隋書·經籍志》等先儒皆奉其說。此吾與皮錫瑞之說相異之點。（同上，頁三一七）

安井小太郎的〈先秦至南北朝之經學史〉頗參考皮錫瑞的《經學歷史》。皮錫瑞以爲經學開闢時代重要問題是「孔子六經刪定說」。關於這一點，安井小太郎引述唐孔穎達以來諸說，提出與皮錫瑞不同的見解。

其次關於先秦至南北朝各時代經學的內容及特質，安井小太郎作以下的敘述。

孔子雖無刪定六經之事、關於孔子教育門人的方法、就《論語》所載孔子常以《詩》《書》《禮》《樂》教育弟子。……弟子每作《詩》《書》《禮》《樂》之大義、及其實踐方法之質問。後世文字章句考證的工夫殆不可見。孔子也大體就實現意義而回答。後世經學研究殆不在此一方面發揮。（同上，頁七—一二）

又：

（先秦諸子）之學風與漢以後之經學者大異、彼留意於《詩》《書》《易》《禮》《樂》之義理研究、以爲自身之思想而教授門人，公諸於世。故雖無經學之名，其實皆經學者，荀子也可以稱之爲經學者。漢以後學風有異，雖謂爲儒學者，皆經學者。（同上，頁一九）

先秦的諸子鑽研經典，以自身所理學的經典義理傳授門人。故安井小太郎以爲戰國時代的經學者不以經典文字的解釋爲主，而以思想義理的闡述發揮爲依歸。這是經學史之開闢、流傳時代的特色。

相對於先秦諸子以自身的思想解釋經典的經學性格，漢代儒者則以以下的態度來解釋經典。

（漢初）博士，專治一經，且以經書的解釋爲主，因而訓詁之學鼎盛。有關經書解釋之書汗牛充棟，由〈藝文志〉的記載可知。學風亦大異於戰國時代之經學者。此經學變遷之始，經學之名亦始於此。（同上，頁二六）

先秦經學以探究經書義理爲主，西漢初期至漢武帝之際，儒學者專攻一經，博士以文字訓詁爲經學的究極而成一家之學。此顯示出經學研究重點的轉變。再者值得注意的是漢初的經學固然是以注釋爲中心，但是也有新的研究方法，即五行說的導入，以解釋經書。安井小太郎說：

按《漢書・五行志》之所記，董仲舒依五行說而論《公羊春秋》，劉向依五行說而論《穀梁春秋》，劉歆依五行說而論《左氏傳》，夏侯勝（《尚書》）、京房（《易》）、谷永（不明）、李尋（《尚書》）等人以五行說說經。……由此可謂西漢學者頗依五行說而說經書。此戰國時代無之、東漢亦無此事。依五行說而說經乃西漢經學之特色、經學之第二次變遷。（同上，頁三〇）

五行說是鄒衍的學說，戰國時代於齊國盛行一時，而稱「齊學」。《漢書・藝文志》列入九流十家之中。雖然如此，當時的五行說只不過是齊國一帶的學問，與經學研究了無關係。至漢代，董仲舒等儒者引用五行以解釋經典，故安井小太郎以爲以五行說解明儒家經典，是西漢經學的特色。又

今古文之爭乃兩漢至三國經學史上之大問題。漢初繼承前代，以當時之文字記錄之經書，此後世稱之爲今文經。武帝之立博士雖在古文經出土之後，然當時古文學未盛。……光武帝建武年間所立博士皆亦今文。平帝時所立博士本爲古文經，以王莽之破未能實現。故東漢立爲學官者皆今文經。……（同上，頁二六—三五）

今文與古文的論爭是兩漢經學最重大的問題，到東漢初期，今文學始終立於優越的地位。但是到了東漢中期，經學的研究有了改變。安井小太郎說：

> 東漢一代雖以今文經爲正統經學、然學古文經者亦有之。古文家致力於文字訓詁之研究，故能明確地解釋古書。許愼之《說文解字》即爲此而作者。古文家每徵古書以爲根據而立說，故學官之立益隆盛。加以與西漢經學者有異，東漢古文家兼通今文。舉二三例而言，鄭興專攻《公羊春秋》亦修《左氏》《周禮》、賈逵以大夏侯《尚書》、《穀梁》成家而亦修《左傳》《毛詩》《周禮》。鄭玄本以《韓詩》成家、其後亦治《毛詩》。是知古文家兼通今文古文、故學識凌越今文家之上、學界亦歸趨於古文家。……東漢初期有鄭興、衛宏、杜林等古文家出，第二期有鄭眾、賈逵、服虔，第三期則有馬融、鄭玄等學者輩出，古文極於鼎盛。（同上，頁三八—三九）

西漢儒者以今文經爲主，且專治一經，但是鄭興、鄭衆、鄭玄等後漢古文學家不僅精通古文經，同時也涉獵今文經，故能創造出經學研究的全盛期。再就研究經學的方法而言，西漢是以五行說研究經書，東漢則根據讖緯之說。讖緯的流行與今古文之爭同爲漢代經學最值得注的問題。關於讖緯之說，安井小太郎作如下的論說：

> 東漢時代流行讖，於經書研究影響甚大。此所謂未來記者。東漢時代讖緯學與經書之

關係如西漢時代之五行說。……漢光武以讖文起兵成功，故光武信讖，影響延及於經學。……緯即經緯之緯，經爲縱系，緯爲橫系。補經之意而有緯書之出，其學即謂之緯學。緯學始西漢末，至東漢而極盛，與經學之關係甚密切。東漢有所謂天人之學，學者以緯說天。經書殆無與天相關者，只依據經書誠不能說天，故當時重緯書，以經爲外學，以緯爲內學，內術。東漢儒者傳記所謂「學通內外」、「學通天人」者即指此。（同上，頁四四—四九）

安井小太郎又以爲後漢經學之研究成果，除緯學以外，是古文勃興與五經注釋。至魏晉南北朝，承繼東漢古學勃興之後的學者，如杜預、何晏等，集歷來諸說即集解的形式解釋經典。特別是何晏以老莊思想解釋儒家經典，開經學研究之新例。然就學界之趨勢而言，「以老莊說經書者、極盛於三國時代、至晉之際。……此時以出世思想盛行，陶淵明即其中之一人。然亦有以爲老莊思想及詩賦之盛行，而經學衰微之論。

歸納安井小太郎之所論，先秦諸子是以自身的思想發揮經典的義理。西漢儒者則專治一經，且究極於經書之文字的訓詁，又有以五行說理解經書者。至於雖有今古文之論爭，終以今文學爲主流。東漢讖緯之學流行。及於中葉，古文學鼎盛，亦五經正義的撰述。至於魏晉，三玄之學及清談風氣極爲隆盛，經學研究雖開啓「集解」之新例，大抵經學趨於衰微之道。若以圖來表示先秦至南北朝的經學發展，此段時期經學研究的變遷如下。

先秦（義理發揮）→西漢（文字訓詁、今文學）→西漢（五行說）→東漢（讖緯、古文學、五經注釋）→魏晉（集解）

此爲安井小太郎「先秦至南北朝之經學史」的主旨。

二、《經學門徑書目》

除〈先秦至南北朝之經學史〉之外，安井小太郎於經學研究而值得注目的是《經學門徑書目》❷。根據〈例言〉❸所載，此書是在大東文化學院學生的請求下撰述的。其體例是：

一、是編、選擇經學門徑必由之書、爲之略解以供研究經學之便。以《十三經》爲經、各經參考書爲緯。

一、選擇之標準止於普通一般學者必讀者。

一、經書注釋有古注新注之兩派。二派各有所長不可偏廢。故本編亦取二派之粹者。

一、清朝考據之學極盛於康熙嘉慶間。以後有支流餘裔之觀。以是多取《正・續經解》中之書。既摘錄經學研究必讀書目，即入門書，而所選《十三經》之注釋書，有漢

❷ 據〈例言〉的記載，此書爲安井小太郎所筆述，成於一九三一年。今所見者，爲一九七一年重刊本。

❸ 原文爲日文。

唐之古注，有宋明之新注，有清朝經學，即考證學之精粹。本邦江戶儒者之代表作收錄有之。故此書不止於經學研究入門書而已。

全編依照《十三經》的順序，由〈周易部〉〈尙書部〉〈詩部〉〈周禮部〉〈儀禮部〉〈禮記部〉〈春秋部〉〈論語部〉〈孝經部〉〈爾雅部〉〈孟子部〉〈四書部〉〈群經部〉等十三部構成。各部皆收錄必讀書目，而且各部皆以《十三經注疏》本爲首，簡明地說明各經的注釋源流，收錄各書也都有解題。茲摘錄一二以說明其體例。

《周易正義》、《十三經》本十卷

本經魏王弼注。〈繫辭〉、〈說卦〉以下晉韓康伯注。唐孔穎達《正義》。易本爲占筮之書，春秋中葉漸作爲義理之書，至戰國有十翼之作，以爲說政治、道德、人生諸事之書。乃列爲六經之一。至漢《易》分經學與方技二門，故占筮與經學分離。漢儒易專治義理即經學，以曆象讖緯爲小道者流、王弼欲矯其弊而著此注。韓康伯爲王弼之弟子，承師說而注〈繫辭〉以下諸篇。二書本來別行、唐代作《五經正義》時合而爲一。王弼注主義理，有破漢《易》陋見之大功，以《老子》之旨說《易》，招後儒非難。雖然，以《老子》、《易》其義有共通之所，不可以是而非難之。唯韓康伯注多偏於《老子》。二注皆爲《易》書之本注，不可不一讀之書也。

「《易》本爲占筮之書……乃列爲《六經》之一」者，即敘述《易》的性格，「漢《易》分經學與方技二門……以曆象讖緯爲小道者流」則說明漢代《易》學的內容及其缺點，「王弼矯其弊」以下文字，則爲王弼《周易注》的解題。又：

《左傳地名補注》清沈欽韓著《續經解》本十二卷

經傳同名異地，異名同地者多。又有辨地理而通文章者。故經史不可不明地理。如《左傳》之史書更有必要。歷來學者注意地理之研究者，至清朝《讀史方輿紀要》，《大清一統志》之著，地理專門之學者多。是亦清朝學術之一進步也。

安井小太郎以爲地理之研究是讀經史不可或缺者。清朝以來，如《左傳地名補注》有關經史地理研究專書或地方志的問世，是清朝學術之有優於前代的所在。

《經學門徑書目》分十三部，收載二百九十一種書目。根據〈例言〉的記載，經書的注釋有漢唐古注、宋明新注及清朝考證，特別是有關清儒注釋的數量收載更多。至於江戶儒者之經學研究的代表論著也著錄有之。因此在探究清朝與江戶時代學術，特別是清朝與日本江戶時代之考證學的成果，《經學門徑書目》一書頗值得參考。茲摘錄《經學門徑書目》所載有關清朝與江戶經學研究論著，探究清朝與日本江戶時代於經學考證上，學術性格的異同。

周易部

《御纂周易折中》李光地等。《御纂周易述義》吳鼎等。《仲氏易》毛奇齡。《易通釋》

焦循。《周易稗疏》王夫之。《周易述》惠棟。《易漢學》惠棟。《讀易漢學私記》陳壽熊。《周易述補》李林松。《易經異文釋》李富孫。《周易舊疏證》劉毓松。《易圖明辨》胡渭。《易學象數論》黃宗羲。《易圖條辨》張惠言。《周易虞氏義》等八種張惠言。《虞氏易消息圖說》胡祥麟。（以上清人）

《易經古義》伊藤仁齋。《周易經翼通解》伊藤東涯。《易學啓蒙諺解大成》榊原篁洲。《繫辭答問》東條一堂。《周易釋故》眞勢中州。（以上日本）

尚書部

《欽定書經傳說彙纂》張廷玉等。《尚書補疏》焦循。《尚書古文疏證》閻若璩。《尚書集注音疏》江聲。《尚書後案》王鳴盛。《尚書今古文注疏》孫星衍。《古文尚書撰異》段玉裁。《古文尚書考》惠棟。《尚書今古文集解》劉逢祿。《今文尚書經說考》陳喬樅。《尚書孔傳參正》王先謙。《書古微》魏源。《尚書大傳輯校》陳壽祺。《尚書釋天》盛二百。《尚書地理今釋》蔣廷錫。《禹貢錐指》胡渭。《禹貢錐指正誤》丁晏。（以上清人）

《書說摘要》安井息軒。《尚書紀聞》大田錦城。（以上日本）

詩部

《欽定詩經傳說彙纂》張廷玉等。《欽定詩義折中》乾隆帝。《毛詩稽古編》陳啓源。

《毛詩補疏》焦循。《毛詩傳箋通釋》馬瑞辰。《詩古微》魏源。《毛鄭詩考正》戴震。《詩經小學》段玉裁。《三家詩遺說考》陳壽祺。《考正毛詩草木鳥獸蟲魚疏》丁晏。《詩地理徵》朱右曾。（以上清人）

《毛詩補傳》仁井田好古。《毛詩輯義》安井息軒。《毛詩會箋》竹添光鴻。《陸氏草木鳥獸蟲魚圖解》淵在寬。《毛詩品物圖考》岡元鳳。（以上日本）

周禮部

《周禮義疏》乾隆十三年奉勅撰。《周禮正義》孫詒讓。《周禮軍賦說》王鳴盛。《周禮疑義舉要》江永。《周官辨》方苞。《考工記圖》江永。《車制圖考》阮元。《周官記》莊存與。（以上清人）

《考工記圖解》川合衡。（以上日本）

儀禮部

《儀禮古今文疏義》胡承珙。《儀禮私箋》鄭珍。《儀禮正義》胡竹村。《儀禮圖》張惠言。《群經宮室圖》焦循。（以上清人）

《儀禮釋宮圖解》川合衡。（以上日本）

禮記部

《禮記補疏》焦循。《五禮通考》秦蕙田。《讀禮通考》徐乾學。《禮書綱目》江永。《禮經釋例》凌廷堪。《禮運注》康有爲。《王制箋》皮錫瑞。（以上清人）

《讀禮肆考》猪飼敬所。（以上日本）

春秋部

《春秋左傳補疏》焦循。《春秋左傳補注》惠棟。《春秋公羊通義》孔廣森。《公羊何氏釋例》劉逢祿。《公羊義疏》陳立。《穀梁補注》鍾文烝。《穀梁大義述》柳興恩。《春秋異文箋》趙坦。《左傳杜解補正》顧炎武。《左傳舊疏考正》劉文淇。《左傳地名補注》沈欽韓。《春秋大事表》顧棟高。（以上清人）

《讀左筆記》增島蘭溪。《左傳輯釋》安井息軒。《左氏會箋》竹添光鴻。《春秋集注》松永昌易。（以上日本）

論語部

《論語稽求篇》毛奇齡。《論語補疏》焦循。《論語正義》劉南楠。《論語後案》黃武三。《論語古注集箋》藩維城。《鄉黨圖考》江永。《論語孔注辨僞》沈濤。《先聖生卒年

月日考》孔廣牧。《洙泗考信錄》崔述。《論語事實錄》楊守敬。（以上清人）

《論語古義》伊藤仁齋。《論語徵》荻生徂徠。《論語徵廢疾》片山兼山。《論語徵集覽》松平賴寬。《論語語由》龜井南冥。《論語語由述志》龜井昭陽。《論語大疏》大田錦城。《論語集說》安井息軒。《論語會箋》竹添光源。《語孟字義》伊藤仁齋。《語孟字義辨》木山楓谿。《天民遺言》並河天民。《論語群疑考》塚田大峰。《論語集解考異》吉田篁墩。《正平本論語集解》。《藤堂本論語集解》。《天文本魯論》。（以上日本）

孝經部

《孝經鄭氏解輯》臧庸。《孝經鄭注補證》洪頤煊。《孝經義疏》阮福。《孝經徵文》丁晏。（以上清人。）

《古文孝經》太宰春台。《孝經集覽》山本北山。《古文孝經私記》朝川善庵。《古文孝經參疏》片山兼山。《孝經發揮》津坂孝綽。（以上日本）

爾雅部

《爾雅正義》邵晉涵。《爾雅義疏》郝懿行。《爾雅郭注存佚補訂》王樹枏。《爾雅漢注》臧庸。（以下清人）

《唐石經爾雅》松崎慊堂。《影宋本爾雅》松崎慊堂。（以上日本）

孟子部

《孟子正義》焦循。《孟子趙注補正》宋翔鳳。《孟子字義疏證》戴震。《孟子四考》周廣業。《孟子事實錄》崔述。《孟子生卒年月考》閻若璩。（以上清人）

《孟子古義》伊藤仁齋。《孟子識》荻生徂徠。《孟子論》太宰春台。《孟子精蘊》大田錦城。《孟子定本》安井息軒。《語孟定義》伊藤仁齋。《讀孟叢鈔》西島蘭溪。《講孟箚記》吉田松陰。（以上日本）

四書部

《四書賸言》毛奇齡。《四書改錯》毛奇齡。《四書釋地》閻若璩。《四書釋地辨證》宋翔鳳。《四書典故辨正》周炳中。（以上清人）

《四書輯疏》安部井褧。《四書欄外書》佐藤一齋。《大學定本》伊藤仁齋。《大學解》荻生徂徠。《大學古義》井上金峨。《大學考》大田錦城。《大學原解》大田錦城。《辨大學非孔氏遺書辨》淺見絅齋。《大學鄭氏義》海保漁村。《中庸發揮》伊藤仁齋。《中庸解》荻生徂徠。《中庸考》大田錦城。《中庸原解》大田錦城。《中庸鄭氏義》海保漁村。（以上日本）

群經部

《五經異義疏證》陳壽祺。《朱子五經語類》程川。《十三經注疏校勘記》阮元。《經義考》朱彝尊。《經義考補正》翁方綱。《群經平議》俞曲園。（以上清人）

《九經談》大田錦城。（以上日本）

收載清儒於《周易》、《尚書》、《詩》、《春秋》的論著較多，而《周禮》、《儀禮》、《禮記》（即《三禮》）與《孝經》、《爾雅》、《大學》、《中庸》的注本比較少。至於江戶儒者有關《論語》、《孟子》、《大學》、《中庸》（即四書）與春秋左氏傳的注釋則收載甚多，但是《尚書》與《爾雅》的著錄則各只有二部，《三禮》也各只有一部而已。至於《春秋公羊傳》和《穀梁傳》則完全沒有。因此就安井小太郎的《經學門徑書目》而言，清朝經學於《易》、《書》、《詩》、《春秋》的研究頗多。而江戶期經學則致力於《四書》與《左氏》的研究，但是有關其他經傳，則涉獵甚少，特別是《公羊傳》和《穀梁傳》根本沒有研究。

有關清朝學者的經學研究，梁啓超〈清代學者整理舊學總成績㈠〉❹有詳細地敘述，其要點大抵如下。

清朝的《易》學，首先專就宋代邵雍、周濂溪以來《易》學混雜道教的弊害作嚴格地批

❹《中國近三百年學術史》（一九二三年撰、華正書局刊本）所收。

判。如黃宗羲的《易學象數論》。其後，有關易學的論述爲數較多，惠棟、張惠言、焦循的著作即是。惠棟《周易述》重視漢代學問，於恢復漢代易學原貌有功，雖然如此，但是過於偏重漢學則是其缺失。張惠言《周易虞氏義》遵循惠棟的易學，辨明漢代虞氏易的源流。焦循精通算數、音韻、訓詁，著《易章句》等書，以實證的、科學的考證方法，辨明「旁通」、「相錯」、「時行」、「當位失道」、「比例」等原則，使《周易》卦爻之義理得以疏通，有功於易的研究。

《尚書》的研究止於《古文尚書》眞僞，即「梅本增多二十五篇」爲魏王肅僞作的斷定。《詩經》研究之最有意義的是訓詁名物的精詳解釋。唐熙間陳長發的《毛詩稽古篇》和朱鶴齡的《毛詩通義》即是。經學全盛的乾隆期卻沒有一個人專攻《詩經》，《詩經》研究的三部代表作、胡承祺的《毛詩後箋》、馬瑞辰的《毛詩傳箋通釋》、陳奐的《詩毛氏傳疏》都是嘉慶、道光時的論著。

禮學極盛，如惠士奇《禮說》、江永《禮書綱目》、徐乾學《讀禮通考》、秦蕙田《五禮通考》、黃以周《禮書通故》等。而專攻《周禮》的學者卻甚少，僅孫詒讓《周禮正義》和戴震《考工記圖注》而已。《儀禮》則有極優異的論述。如張爾岐的《儀禮鄭注句讀》、凌廷堪的《禮經釋例》、張惠文的《儀禮圖》。特別是凌廷堪的《禮經釋例》，乃通觀全書而歸納出研究《儀禮》的原則。由於其歸納的原則極爲合理，堪稱最新式的經學研究。至於《禮記》的研究，單篇的頗多，而注釋全書的卻沒有。《大戴禮》的研究亦不多。因此就三禮的研究而言，《儀禮》有斐然的成果，至於《周禮》、《禮記》、《大戴禮》則闕如。再就研究的內容而言，禮學研究固然極盛，但是與其說經學研究，不如說於史學，即法制史、風俗史等有極貴重資料的整理。

關於《春秋三傳》的研究，乾隆期以前沒有《左傳》的研究。《穀梁傳》的研究則始於乾隆中葉。然《公羊傳》的研究則極爲隆盛。莊存與的《春秋正辭》、劉逢祿的《公羊何氏釋例》、陳立的《公羊義疏》等都是極爲優異的論著。因此清朝在《春秋三傳》研究方面，《左傳》和《穀梁傳》的研究並沒有值得一提的成就，《公羊傳》的研究是除《儀禮》以外，清朝經學中，最有成績的。而且今文學運動以《公羊傳》爲中心，與清末革命有極大的關連，又有極爲深遠的意義。

有關《四書》的研究，明清理學家有爲數甚多的撰述，清朝的學者則未必有濃厚的關心，因此好的論述也不多。《四書》研究的代表作，只有閻若璩的《四書釋地》、劉寶楠的《論語正義》、焦循的《孟子正義》、戴震的《孟子字義疏證》而已。

包含《爾雅》在內的小學研究，於《爾雅》、《釋名》之「定義學」的著作甚多。邵晉涵《爾雅正義》、郝懿行《爾雅義疏》、畢沅《釋名疏證》、王念孫《廣雅疏證》皆是。然清朝的小學研究則以《說文解字》的研究爲主。惠棟《讀說文記》開其先聲，江永與戴震有關六書之論議，段玉裁《說文解字注》等成績斐然之論述層出不窮，於清朝經學有極爲重要之位置。

研究清朝經學極爲重要的資料。雖然如此，群經通釋的論著，如朱彝尊的《經義考》、臧琳的《經義雜記》、王引之的《經義述聞》、俞曲園的《群經平議》等，更是研究經學不可或缺的專門論著。

最後就清朝的經學研究而編集「新十三經注疏」的話，按成書先後，可列舉以下十三種經學注釋本。邵晉涵的《爾雅正義》二十卷、孫星衍的《尚書今古文注疏》三十卷、焦循的《孟子正義》三十卷、陳奐的《詩毛氏傳疏》三十卷、胡竹村的《儀禮正義》四十卷、陳立的《春秋公羊傳義疏》七十六卷、劉寶楠的《論語正義》二十四卷、劉文淇的《左傳舊注疏證》八十卷、孫詒讓的《周禮正義》八十六卷。皮錫瑞的《孝經義疏》、《穀梁傳》（邵晉涵的《正義》與梅植之的《集解》）、《禮記》、《易經》（焦循的《易通釋》與張惠言的《易圖條辨》。）

就梁啓超所論，《皇清經解》等叢書收載爲數甚多的經學研究論著，但是，就各經而言，可列舉出其代表作十三種，名爲「新十三經注疏」。再者通觀清朝於《十三經》及其經傳的研究，梁啓超以爲清儒於《儀禮》《公羊傳》及《說文》的研究，有超越前代的論著。

就安井小太郎《經學門徑書目》的記載而言，江戶學者於《儀禮》《公羊傳》及《說文》並沒有深入的研究，但是對於《四書》和《左氏傳》卻有注入心血的精心之作。

就二人的論說和著錄而言，清朝與日本江戶時代於經學研究的重點是有差異的，由此研究經學的重點與成果有顯著的不同看來，清朝儒者與江戶時代的漢學家研究經學的態度，即經學觀是有不同的。換句話說，清朝儒者與江戶時代的漢學家於經學研究的學術性格是有極大的差異，清朝儒者的研究中心在於小學、史學與今文經學，江戶時代的漢學家則在於以《四書》爲主的宋學闡述與古文經學的研究。

接著，再以近代學術領域的觀點來探究清朝經學的成果，梁啓超作以下的敘述。

清朝學者於先秦經子史書的注釋極多，但是經典注疏於漢唐最爲隆盛，而且有優越的成果流傳於後世。清朝於經典解釋即使極爲精密，也未必超越漢唐注疏的成就。校勘學則是清儒的長處，不但有精密的校勘，也有校勘方法的建立。如第一、比對照版本而校勘。比較二種或二種以上的版本，並根據歷來所說的異同而選擇善本以校勘。盧文弨的《群書拾補》、黃丕烈的《士禮居題跋》、顧廣圻的《思適齋文集》、孫詒讓的《札迻》即是。第二、以本書或他書的旁證和反證，校正本文的缺誤。其方法是首先根據二書相同的文章，如《荀子勸學篇》的前半文章和《大戴禮．勸學篇》，《韓非子．初見秦篇》和《戰國策．秦策》，《禮記．月令篇》和《呂氏春秋．十二紀》等，相互比對校勘，再以書的語法和用字例作校正。此方法的運用以戴震和王念孫、引之父子最爲精確。第三、依書的體例而校勘。如《水經注》舊本的本文和注文相混雜，故極爲難讀。但是戴震歸納出《水經注》有「一、經文首云某水所出，以下不更舉水名，注則詳及納群川，更端屢舉。二、各水所經州縣，經但云某縣，注則年代既更，舊縣或湮或移，故常稱某故城。三、經例云過，注例云逕」三個原則，清楚地分別《水經注》的經文和注文。又《說文解字》有徐鉉等人增補竄入的所在，段玉裁整理出「說文通例」，以恢復許愼《說文解字》的原來面日。第四、根據其他資料、以校正書的脫衍。如《史記》有關戰國的時事，六國年表和世家、列傳的記載有頗多矛盾的所在，到底該依據世家、列傳的記事來校正年表，或是根據年表的排列來校正世家和列傳的記事。清儒於此一方面的校勘極爲詳細。其代表作有錢大昕《二十二史考異》、王鳴盛《十七史商榷》等。

清儒將此校勘方法廣泛地運用於經子史書的校勘，特別是對於先秦諸子的校勘，有足供後世研究先秦諸子參考之所在。如盧文弨的《群書拾補》、王念孫的《讀書雜記》、俞曲園的《諸子平議》、孫詒讓《札迻》即是。

表現清儒學問態度的是有關古書辨僞的工作。清儒於古書辨僞而值得稱讚的並不是辨僞的成果，而是辨僞方法的發明及其運用。清朝學者好古，故重視古書。於古書有疑問時，常用客觀的科學的方法精審探究其眞僞。其辨僞的方法，第一是依據目錄書的著錄。如先秦的書籍不見載於《漢書・藝文志》，漢代的書籍不見載於《隋・唐・經籍志》，唐以前的書籍不見載於《崇文總目》者，其書必有可疑。第二、根據典籍所記載的事實和制度。如《管子》所載西施的事情，《商君書》所載長平之役、〈月令〉篇有關太尉的官名等記述，皆與歷史事實不合，必爲後人所僞作的。第三、根據文章的字句或體裁。《黃帝素問》有長編論述醫理的文章，然而三代以前並未有此類的文體，可知此書的成書最早不超過戰國末期。《尚書》二十八篇頗佶屈而難讀，但是《古文尚書》二十五篇的文章卻甚爲簡明，而且幾乎都是有對偶的字句，與魏晉時期文章的文體了無差異。可知《古文尚書》並非成書於漢代以前。第四、根據思想源流。如《列子》有「西方聖人」一語，而且與佛教教義相同之處甚多。可知《列子》並非早於莊子的列禦寇之所著。第五、探究僞書的出典。如《古文尚書》有引用《道經》的「人心之危道心之微」和《論語》的「允執其中」合併爲「十六心傳」，其實並沒有深遠的意義。第六、根據佚文佚說的反證。晉書王接傳說《竹書紀年》有「太甲殺伊尹、文丁殺季歷」的記述，但是今本《竹書紀年》並無「太甲殺伊尹、文丁殺季歷」的記載，由此可知今本《竹書紀年》並非汲冢舊本。

此一辨僞方法之廣泛應用的結果，清儒於辨僞古書上，有豐碩的成果。一、可以斷定全編爲僞作者。如《古文尚書》及孔安國《傳》《古文孝經》孔安國《傳》《孔子家語》《孔叢子》《陰符經》《六韜》《文子》《老子河上公注》等書。二、幾乎可以斷定全編是僞作者。如《周禮》《孝經》《晏子春秋》《列子》《吳子》《毛詩序》等書。三、尚未能斷定全編是爲僞作者。如《尚書百篇序》《古本竹書紀年》《穆天子傳》《逸周書》《愼子《公孫龍子》等書。四、可以斷定部分爲僞作者。如《莊子》的〈外·雜篇〉《韓非子》的《初見秦篇》《墨子》的〈親士〉〈修身〉〈所染〉三篇等。五、尚未能斷定部分爲僞作者。如《今文尚書》的〈虞夏書〉、《論語》的後五篇等。六、著者姓名及時代有異者。如《儀禮》《爾雅》《管子》《商君書》《孫子》《尚書大傳》、《山海經》《素問》《緯書》《越絕書》等書。

又就清朝辨僞的成果而言，不但有姚際恒《古今僞書考》、崔述《考信錄》等通貫經子史書而作全盤辨僞的專著，也有專就一書而詳細辨僞者，如閻若璩的《古文尙書疏證》、惠棟的《古文尙書》即是。因此可似說清朝古書辨僞的工作是極爲盛行的。雖然如此，乾隆、嘉慶的學者或許是極其好古，即使是經學全盛的時代，從事辨僞工作的，僅數人而已。

輯佚的工作是清朝學者治經的副產品。惠棟的《易漢學》及弟子余蕭客的《古經解鈎沈》是清朝輯佚學的嚆矢。其後對於群經也進行輯佚的工作。《周易》有孫淵如的《周易集解》、張惠言的《周易虞氏義》等書。《尙書》有孫淵如的《尙書馬鄭注》、陳朴園的《今文尙書經說考》等書。《詩》有馬竹吾的《魯詩故》、邵晉涵的《韓詩內傳》等書。《三禮》有丁晏的《佚禮扶微》。《春秋三傳》有李貽德的《春秋左傳賈服注輯述》、臧壽恭的《春秋左氏古義》等書❺。

就梁啓超所敘述清朝經學的性格而言，清儒於經書的注疏雖爲數甚夥，但是成果不及漢唐的注疏。校勘學是清儒之所長，校勘方法的發明，進而以之校勘經子史書，特別於先秦諸子的校勘，有斐然的成果。辨僞亦然。輯佚雖然也極爲盛行，但是所得的成果卻不及校勘與辨僞。

江戶時代於注釋、校勘、辨僞等研究有何成就。探究江戶時代經學研究的代表學者伊藤

---

❺〈清代學者整理舊學總成績(二)〉(《中國近三百年學術史》、頁二四八－頁二九七、華正書局)。

仁齋、大田錦城、龜井昭陽、安井息軒四人的學問❻及江戶經學研究總決算的安井小太郎《經學門徑書目》之記載，日本學者未必有如清朝儒者，於校勘與辨僞方面有原則的發現和專門論著的撰述，又古籍亡佚的輯佚工作也未必有關注。普遍地以文獻的考證、校勘等爲基礎而從事學問研究，則要到近代學問意識發達，即明治時代（一八六七—一九一二）以後，才逐漸興盛。雖然如此，探究大田錦城等的學問，日本的考證學、或廣義的日本中國學的特色可以清楚地看出來。伊藤仁齋根據文獻性質、敘述重點的異同而考辨經書的成書情形。又廣收經傳諸子的用字例，以探究經書字義的正確意義，進而闡發聖人立言的眞義。大田錦城的學問在旁搜博引的基礎上，以「實事求是」，即實證爲原則，追求文獻考證學的究極。進而晚年主張以文獻考證爲基礎，精確地發揮聖人之道，探究學問的究極，企求重建儒學的精神。換句話說，然是極爲必要的手段，但是聖人之道的發揚與實踐，才是學問的究極。

江戶末期於經傳有深入探究的學者並不多。異於當時的學術潮流，埋首於經學研究，獨樹一格的是九州出身的龜井昭陽。龜井昭陽說：「余用畢生之力於《詩》《書》、猶先考之於《論語》」（《家學小言》第二十五章）正說明自身學問的宗尚乃在於經書的研究。再者，其主要的著述，如《周易僣考》《尚書考》《毛詩考》《禮記抄說》《左傳纘考》《論語語由

❻　參考町田三郎先生〈關於日本考證學的特色〉（《清代經學國際研討會論文集》、頁四六五—頁四九七、台北、中央研究院中國文哲研究所出版、一九九四年）。

述志》《孝經考》等。幾乎全是經傳的注釋，由此也可以知道龜井昭陽畢生學問的所在即在於經學研究。至於龜井昭陽於經學研究的特徵，不僅是經書的注釋而已，乃在於精確地解釋經書的內容，進而分析文章的構造，探究全書的體例，尋求考證原則與方法的建立。雖然龜井昭陽未發明了明確的考證經書的法則，但是龜井昭陽重視經書之構造性分析的研究方法，乃開日本經學考證方法的先聲。

幕末昌平黌教授安井息軒於經學研究的一貫態度是不論古注或新注，唯善是取。因此，於其經書注釋中，不但有漢唐古注、宋明新注，也有清朝考證學成果的引述，考證精審，論斷愼重。此一學問態度誠能反映幕末逐漸地消除極端性地或傾向朱子學或一味地倒向漢唐注疏之學，即不執著於學派學統的學風。安井息軒的《左傳輯釋》《論語集說》《大學說》之能旁徵博引，持平論證，而博取好評的原因正在於此。其所著《管子纂詁》亦然。

綜上所述，伊藤仁齋、大田錦城、龜井昭陽、安井息軒四人於經學考證的共通點是字句考證的嚴密性，進而以精確的考證爲基礎，分析文章的構造，辨明全書的體例，致力於章節段落的整合，企求恢復經書的原貌。換句話說，四人的經學研究方法，不但重視字句異同的個別性問題，更經常著眼於文章全體的前後關連性。因此，四人的考證學非止於文字的考證而已。這也是日本，特別是江戶時代經學考證的特色。

三、結語

本文嘗試以比較學術的觀點探討同一時期，兩國學者在處理同一資料時，其重點有何異同。即就學術意識與學問性格作比較分析。所根據的是書目著錄、解題與一代學術成果的論述，即通過安井小太郎《經學門徑書目》與梁啓超《清代學者整理舊學總成績》，探究日本江戶時代（一六〇三—一八六六）的儒者與有清一代的學者在研究經傳注疏的著眼點與研究態度，亦即經學觀與經學考證性格的異同。由二者的比較探討，安井小太郎以爲清朝經學於《易》《書》《詩》《春秋》的研究頗多。而江戶期經學則致力於《四書》與《左氏傳》的研究，但是有關其他經傳，則涉獵甚少，特別是《公羊傳》和《穀梁傳》根本沒有研究。梁啓超則主張清儒於《儀禮》《公羊傳》及《說文》研究，有超越前代的論著。

安井小太郎之所以收載頗多江戶時代有關《四書》的論著，乃反映日本江戶時代儒學，即宋明理學的根源就在《四書》的事實。至於《春秋左氏傳》的重視，蓋在於其師承淵源，即大田錦城—海保漁村—島田篁村—安井小太郎之考證學派，著重於古文經學的學問性格。其在〈先秦至南北朝之經學史〉的論述中，以清代常州《公羊》學爲雜學，固然反映清朝經學的精華在於乾嘉考證學的事實，與其師承淵源也不無關係。

梁啓超之以爲清朝經學最有成就的是《儀禮》《公羊傳》及《說文》的研究者，乃由於梁啓超自身是今文經學家，故重視《公羊》學。至於《說文》的研究自然是清朝學者，特別是戴震、段玉裁、王念孫父子一派經學的根本所在。而梁啓超又提出清人的《儀禮》研究值得重視的原因，或許梁氏以爲《儀禮》是整理國故，特別是作爲史學研究所不可或缺的資料。

再以近代學術領域的觀點來探究清朝經學的成果，梁啓超以爲清儒於經書的注疏雖爲數甚夥，但是成果不及漢唐的注疏。校勘學是清儒之所長，校勘方法的發明，特別是先秦諸子的校勘，有斐然的成果。辨僞亦然。輯佚雖然有功而成果不及校勘與辨僞。江戶時代的學者僅止於字句的考證與篇章的校勘辨僞，又古籍的輯佚工作不興。普遍地以文獻的考證、校勘等爲基礎而從事學問研究，則要到明治時代（一八六七—一九一一）近代學問意識發達以後才逐漸興盛。

結語

日本近代支那學，特別是京都學派的學問是日本漢學研究的頂點。日本近代支那學的雙璧是京都帝國大學文學部教授狩野直喜（一八六八——一九四七）和內藤湖南（一八六六——一九三四）二人。內藤湖南的學問是以爲考證學爲根底，狩野直喜則說：「我（的學問）是考證學。❶」因此可以說日本近代中國學的學問根源在於考證學。日本近代支那學的特徵在於綜合性學問的研究與繼承前代學術的成果而開拓新的學術研究領域。所謂綜合性學問的研究，是著重博綜宏觀的通儒之學且具有世界前衛性的學問。如狩野直喜兼治經學、文學與制度史。內藤湖南則優遊於經學、史學、目錄學、藝術史與日本文化史的領域之中。又二人都是當時（二十世紀初期）世界漢學界所注目的敦煌學的權威。至於學問的研究方法則以實證主義爲宗尚而兼用清代乾嘉考證學的嚴密性與西洋學術的系統性方法論。所謂繼承前代學術的成果而開拓新的

❶ 見小島祐馬〈通儒としての狩野先生〉（《狩野直喜先生永逝記念》、頁七—頁一二、《東光》第五號、一九四八年）又興膳宏也說：所謂京都學派的學問，一言以蔽之是清朝考證學。（〈吉川幸次郎先生の人と學問〉、《異域の眼》、筑摩書房、一九九五年）

學術研究領域，是繼承江戶時代經學考證的傳統，留意西方學術研究的動向，進而鑽研前人所未涉獵的學問。如狩野直喜的《春秋》，特別是《公羊傳》的著述則是繼承江戶漢學傳統而爲江戶經學所付諸闕如的研究。戲劇小說是西洋文學中的主流，研究著作更是汗牛充棟。但是東方學者則甚少觸及。狩野直喜洞見此一情勢，撰述《支那小說戲曲史》，開啓日本研究中國戲劇小說的先聲❷。內藤湖南以《尙書》研究中國上古史，也是江戶漢學所未見的。至於《日本文化史研究》是繼承新井白石所提倡的「本土文化主義」下的產物。清史的論述更是日本研究有清一朝歷史的第一人。❸

內藤湖南獨學苦讀，經歷朝日新聞記者、京都大學教授而成就其才學識見兼具的學問。內藤湖南嘗謂人曰：「其學問性格的形成乃得力於新聞記者的工作。即行萬里路，讀萬卷

---

❷ 狩野直喜的《清朝の制度と文學》於一九八四年六月在みすず書房出版。《春秋研究》於一九九四年十一月，《支那小說戲曲史》於一九九二年三月，二書皆在みすず書房出版。

❸ 內藤湖南的著作收錄爲《內藤湖南全集》，共有十四卷，由筑摩書房刊行。關於中國史學的研究，有《支那上古史》《支那中古の文化》《支那近世史》（皆收於第十卷、一九六九年），《清朝衰亡史》（第五卷，一九七二年），《清朝史通論》（第八卷、一九六九年）。目錄學的著作有《支那目錄學》（第十二卷、一九七二年），藝術史的論著有《支那繪畫史》（第十三卷、一九七三年）。至於日本文化的研究則有《日本文化史研究》《先哲の學問》（皆收於第九卷、一九六九年），《近世文學史論》（第一卷、一九七〇年）。

書，採訪各界人士而增長學識見聞❹。治學的態度則以清朝考證學實事求是的學問爲根底，而大成於史學的論述❺。至於學問的宗尚則是遠紹章學誠、錢大昕的學問❻，以史學的角度綜觀中國的學術發展。由此可知內藤湖南的學問，是在考證的基礎上進行旁徵博引、精詳考證，而建立通貫宏觀的史學性識見❼。又由於京都，即日本古文化之所在的學術環境與江戶中期以來考證風氣的傳承，主張「學問與趣味兼容並蓄而渾然融合的研究，才能眞正地理解中國文化」❽，這即是京都學派學者的治學理念❾。至於所處理的材料也不限於中國的典籍

---

❹ 武內義雄〈湖南先生の追憶〉（《內藤湖南先生追悼錄》頁七三—頁七八、支那學第七卷第三號、一九三四年）。

❺ 松浦嘉三郎〈志を抱いて逝かせらる〉（《內藤湖南先生追悼錄》頁四四—頁五二、《支那學》第七卷第三號，一九三四年）。

❻ 內藤湖南的學問是取法章學誠、錢大昕的記載，見於神田喜一郎的《內藤湖南先生と支那上古史補遺三題》（《敦煌學五十年》、《神田喜一郎全集》第九卷、頁三三三—頁三三九、同朋舍、一九八四年）。

❼ 以爲內藤湖南的學問是精審考證而又有宏觀的識見的評論，見於神田喜一郎的〈內藤湖南先生と支那上古補遺三題〉（《敦煌學五十年》、《神田喜一郎全集》第九卷、頁三三一—頁三三九、同朋舍、一九八四）及內藤湖南著《日本文化史》（頁一六八—頁一七八、講談社文庫、一九八五年）所附的桑原武夫的解說。

❽ 見神田喜一郎〈大谷瑩誠先生と東洋學〉（《敦煌學五十年》、《神田喜一郎全集》第九卷、頁四三〇—頁四四一、同朋舍、一九八四年）。

而已。除了中國傳統經書歷史與文學以外，又潛心研究足以與世界漢學界分庭抗禮的敦煌學，致力於先賢學問的闡揚與足以比美中國的日本學術文化的發掘。⑩

狩野直喜於東京帝國大學時是受教於島田篁村。島田篁村是海保漁村的門下弟子，海保漁村的學問是繼承大田錦城的經學考證學。換句話說狩野直喜的學問是「島田篁村—海保漁村—大田錦城」⑪一脈相承的考證學的傳統。因此，其所謂的「我（的學問）是考證學」或許即就其師承淵源而說的。就此意義而言，要探究日本漢學頂點的近代支那學，即狩野直喜與內藤湖南所代表的京都學派學術的究竟之先，或許有論述其根源，即其所前承的江戸時代考證的必要。

一般而言伊藤仁齋的學問是古義學，大田錦城的學問是折衷學或考證學，龜井昭陽的家

---

⑨ 狩野直喜兼治經傳文學，又能詩善文，書法也自成一家。內藤湖南於史學的著述外，也能爲詩文和歌，更著有《支那繪畫史》（《內藤湖南全集》第十三卷、筑摩書房、一九七三年），論述中國繪畫的藝術精神。

⑩ 有關日本學術文化的論述，內藤湖南主張〈文明移動論〉（見於《近世文學史論》、《內藤湖南全集》第一卷、筑摩書房、一九七〇年）「應仁之亂是中國文化日本化的轉捩點」「中國文化點化日本文化說」（皆見於《日本文化史研究》、《內藤湖南全集》第九卷、一九六九年）「富永仲基的『加上說』是東西學術的通說」（《先哲の學問》、《內藤湖南全集》第九卷、一九六九年）。

⑪ 見小島祐馬〈通儒しての狩野先生〉（《狩野直喜先生永逝記念》、頁七—頁一二、《東光》第五號、一九四八年）。

學淵源是荻生徂徠一派的古文辭學，安井息軒是幕末昌平黌教授，其學問必然是以朱子學爲依歸。但是就日本江戶時代的儒學史而言，學問的目的不爲政治而純然以學術研究爲依歸，並且以講授者述終其一身的是始於伊藤仁齋。伊藤仁齋的學問是以《論語》爲主儒家經典作爲根底，其學問的究極則在於孔孟思想眞義的探索與發揮。其論述的方法則是在旁徵博引的基礎上，以字義的用例辨別「大學非孔氏之遺書」，又以篇章的旨趣分殊，判別《論語》爲上論與下論，對於《孟子》的探索亦然。亦即以客觀性實證主義的觀點進行文獻考察，開創日本考證學風氣的先聲。就此意義而言，貝塚茂樹以爲伊藤仁齋的學問成就足以爲清朝考證學顧炎武、閻若璩等人並駕齊驅，是日本啓蒙主義運動的倡導者，允爲日本儒學的創始者。⑫

大田錦城的師承是折衷漢唐注疏與宋明理學的學問，其晚年撰述《梧窓漫筆》論述學問宜以義理爲依歸。雖然如此，探究其生涯著述的旨趣，乃在於考究學術源流，其以爲中國古今學術有「漢學、宋學、清學」三次的流變。進而辨章學問的宗旨，主張學問研究的對象是中國的經傳典籍，而研究方法則是以考證爲基礎，旁蒐前人注疏，考索經傳字義的例證，考辨群經的眞僞。特別是對於《尙書》的篇章進行嚴密地考證，在閻若璩的《古文尙書考》尙未傳入日本學界之前，就提出《古文尙書》爲僞書的主張。由於大田錦城以「辨章學術、考究源流」是尙的嚴謹態度，乃與當時只是以古物蒐集，附庸風雅爲樂趣的「趣味性考證」的

⑫ 貝塚茂樹〈日本儒教の創始者〉（《伊藤仁齋》頁七－頁三二、中央公論社、一九八三年）。

流俗大異其趣。再者，治學的方法也非止於折衷；是在博採通說的基礎上，發前人所未發的獨見。故金谷治先生說：由於大田錦城的學術成就，確立了考證學於日本學術發展史上的地位。影響所及，當時的儒醫也盛行以考證的方法研究古醫書。⑬

龜井昭陽的家學淵源雖然是荻生徂徠的古文辭學；但是龜井昭陽嘗說：「余生來惡古文辭三言」（《讀辨道》首則）、「物氏疏於典謨」（《讀辨道》第十一則）即以爲荻生徂徠不通經義，其所謂的古文辭也未必正確地體得聖人的眞義。至於學問的宗尙，則一如其父南冥埋首於《論語》的研究，其自身則用畢生之力於經傳的鑽研。因此西村天囚推崇龜井昭陽是當時經學研究的巨擘⑭。探討龜井昭陽經傳注疏的內容，特別値得留意的是其對於經傳成書的考辨。其考辨的方法，除了具體地旁蒐古今注疏，博引經傳通說，考察經傳文義以外，於前人未發之處，則以篇章的段落結構，文義的旨趣作爲考辨的依據，重新整合《尙書》《禮記》各篇篇章的結構。此以抽象的思考方式作爲文獻考證的法則，乃與伊藤仁齋以爲《論語》《孟子》各有上下篇的主張，富永仲基的「加上說」⑮前後輝映。因此町田三郎先生說：龜

---

⑬ 金谷治〈日本考證學派の成立〉（源了圓編《江戶後期の文化研究》、頁三八—頁八八、ぺりかん社、一九九〇年）

⑭ 西村天囚〈異彩ある學者〉（《大阪朝日新聞》於明治四十年至四十一年連載）。

⑮ 富永仲基的「加上說」見於所著《出後語定》。內藤湖南敘述富永仲基「加上說」的意旨在於「越晚出者所尊尙的越早」，如孔子尊崇文王周公，墨子則尊崇夏禹，楊朱尊崇黃帝。內藤湖南的論文爲

井昭陽的學術成就在於建立文獻考證的原理原則。⑯

安井息軒是幕末昌平黌的教授，師承是漢唐注疏學；但是其學問與著述的態度則是通說博採而唯善是從，了無門戶之見的兼容並蓄的融通性。其學術成就有經典輯佚，即協助其師松崎慊堂編纂《開成石經》、解詁經傳諸子、考辨諸子篇章眞僞等，乃綜輯前人學術成果而以嚴謹又客觀的考證態度進行中國古典的集釋與考證的事業。安井息軒的學問成就大放異彩於江戶時代終結的幕末之際，洵可謂爲日本考證學的集大成者。

安井小太郎繼承先祖安井小太郎的衣鉢，專注於經學的研究。完成先師島田篁村的遺志，整理日本儒學的歷史。其學問成就在於中日學術史的論述。《日本儒學史》一方面是師弟相承的學問，一方面則是日本本土學術意識昂揚時代的產物。中國經學史的撰述則在於綜觀中國經學的主旨及其流衍。二者的結合則是《經學門徑書目》一書的編集。此書列舉並解題中日學者研究中國經傳注疏的重要書目。探究其著述的旨趣，則未嘗無江戶時代的經學研究成果得與清朝的學術分庭抗禮的用心。將此書與梁啓超的〈清代學者整理舊學總成績〉作比較

〈大阪の町人學者富永仲基〉收載於所著《先哲の學問》（《內藤湖南全集》第九卷、頁三七〇—頁三九三、一九六九年）。

⑯ 町田三郎先生〈「漢學」二題〉（《地域における國際化の歷史的展開に關する總合研究——九州地域における——》、平成元年科研成果報告書）

性的檢討，即可理解清代與江戶時代學者於經學研究的成果與差異。就此意義而言，安井小太郎的學問有整理並評價中日經學成果之功。

本文不固守歷來日本學者對江戶學術所做的學問流派的區分，嘗試以純粹學術研究，即以實事求是、客觀分析的「實證主義」爲著眼，探究日本江戶時代以來「伊藤仁齋—大田錦城—龜井昭陽—安井息軒—安井小太郎」之考證學系譜的學問特色。其學問性格乃抱持著與清朝乾嘉學術相同的實證觀點，對中國經傳進行審慎精密的文獻考證。此一學問的態度與學術的成就，爲近代京都學派所繼承，形成日本近代中國學以文獻考證爲主的學術潮流。

以「考證學系譜」的觀點，跨越學派的觀念，架構縱向性「日本經學研究系譜」，進行日本經學著作的內容探究。亦即究明伊藤仁齋、山井鼎、中井履軒、大田錦城、龜井昭陽、帆足萬里、東條一堂、海保漁村、安井息軒、竹添光鴻等人⑰於經學研究的旨趣，進而與清

---

⑰ 伊藤仁齋（一六二七—一七〇五、古學派）著有《易經古義》《論語古義》《語孟字義》《孟子古義》《大學定本》《中庸發揮》等書。山井鼎（一六八〇—一七二八，徂徠學派）著有《七經孟子考文補遺》。中井履軒（一七三二—一八一七、大阪懷德堂）著有《七經彫題略》《七經逢原》等書。大田錦城（一七六五—一八二五，考證學派）著有《尚書紀聞》《論語大疏》《孟子精蘊》《大學考》《大學原解》《中庸考》《中庸原解》《九經談》等書。龜井昭陽（一七七三—一八三六、考證學派）著有《周易考》《周易續考》《毛詩考》《詩經古序翼》《尚書考》《禮記抄說》《左傳纘考》《論語語由述志》《孟子考》《讀孟子》《大學考》《中庸考》《孝經考》等書。帆足萬里（一七七八—一八五二、獨立學派）著有《周易標注》《書經標注》《春秋左氏傳》《論語標注》《孟子

代經學研究的成果作一比較，則是今後研究課題之一。

德川幕府近三百年的儒學研究，底定日本近代學術研究的基礎。明治維新以後繼承幕末考證學的成果，並引進西洋學術的研究方法，樹立了東洋學的學問性格。其後的五十年間，在安定的學術環境下，日本東洋學的研究有不容忽視的成果。如東京大學祖述江戶時代以朱子學爲主體的宋明理學的傳統，繼承古典講習科的漢學基礎，成爲日本近代中國學研究的重鎭。代表學者有島田篁村、重野成齋、服部宇之吉、安井哲次郎。京都大學則遠紹江戶時代經學考證學的傳統，吸取西洋學術的方法論，再者明治末年前後，清朝學者先後來日，特別是羅振玉、王國維的京都旅次，更給與京都一帶的學者有極大的影響。樹立了以經學考證爲中心，又兼及新資料，如敦煌、甲骨文研究的京都學派的學問。京都學派的狩野直喜、內藤湖南不但是近代日本中國學學界的泰斗，也是世界漢學界有舉足輕重地位的學者。其學術成

標注》《大學標注》《中庸標注》等書。東條一堂（一七七八—一八五七、折衷學派）著有《繫辭答問》《書經解》《詩經解》《春秋解》《論語知言》《論語字義》《孟子知言》《孟子字義》、《大學知言》《中庸知言》等書。海保漁村（一七九八—一八六六，考證學派）著有《周易古占法》《尙書漢注考》《毛詩輯聞》《論語通解》《孟子鄭注補證》《大學鄭氏義》《中庸鄭氏義》等書。安井息軒（一七九九—一八七六、考證學派）著有《書說摘要》《毛詩輯義》《左傳輯釋》《論語集說》、《孟子定本》等書。竹添光鴻（一八四二—一九一七、古文辭學派）著有《毛詩會箋》《左氏會箋》《論語會箋》等書。

就頗能與世界漢學分庭抗禮。

中國的學問，至前清爲止，是世界漢學界研究的對象。清末民國初以來，五四時期的疑古學風盛行，古藉考證與歷史研究的風氣勃興，博學碩儒之士輩出，影響深遠。對於此一時期之中日的中國學進行研究，比較分析二者的學術成果，究明中日學術研究的基本性格及其異同。若能裁長補短，於日後中國學的研究必有所助益。因此，以江戶經學研究成就與江戶考證學研究方法爲基礎，探討大正期日本近代中國學，特別是以狩野直喜、內藤湖南爲代表的京都學派的學問，進而與清末民初王國維、羅振玉、劉申叔等學者的學問作一比較，亦是今後研究課題之一。

國家圖書館出版品預行編目資料

日本江戶時代的考證學家及其學問

／連清吉著. --初版. --臺北市：
臺灣學生，1998(民87)
面； 公分
ISBN 957-15-0924-8 (精裝)
ISBN 957-15-0925-6 (平裝)

1.漢學 - 日本

033.1 87016765

日本江户時代的考證學家及其學問

著作者：連清吉
出版者：臺灣學生書局
發行人：孫善治
發行所：臺灣學生書局
臺北市和平東路一段一九八號
郵政劃撥帳號〇〇〇二四六六八號
電話：二三六三四一五六
傳眞：二三六三六三三四

本書局登記證字號：行政院新聞局局版北市業字第玖捌壹號

印刷所：宏輝彩色印刷公司
地址：中和市永和路三六三巷四二號
電話：二二二六八八五三

定價 精裝新臺幣二七〇元
平裝新臺幣二〇〇元

西元一九九八年十二月初版

03403

ISBN 957-15-0924-8 (精裝)
ISBN 957-15-0925-6 (平裝)